東大教授が教える!

デキる大人の

勉強脳の作り方

Benkyou-nou no Tsukuri-kata

池谷裕二 監修
オゼキイサム 絵

日本図書センター

はじめに

いま、みなさんはどんな勉強をしていますか？

「入学」「昇進」「資格取得」「検定取得」ための試験勉強、「英会話」や「漢字」、「歴史」や「ワイン」などの毎日の生活をより充実させる趣味のための勉強……。きっと、人によっていろいろな勉強をしていると思います。そして、そんなみなさんのなかには、「精一杯やっているのに、なかなか結果が出ない」「何度やっても覚えられない」というような、壁にぶつかっている人も、いるかもしれません。

とくに、社会人になってからの勉強となると、勉強するための時間を十分に確保できなかったり、自分の記憶力に不安がよぎったり。学生時代よりも苦労する人が多いものです。

そこで、ぜひみなさんにお伝えしたいのが、脳科学にもとづいた勉強法です。

勉強の成果を出すには、才能や努力が必要だと思われがちです。でも実は、脳のしくみを正しく知って、勉強のしかたを見直すだけで、ぐんと効率を上げ、確実に結果を出すことができるのです。

わたしは東京大学で、脳を専門に研究してきました。そのなかで、「脳はどうして忘れてしまうのか」「どうすれば簡単に覚えられるのか」といった、勉強と深く関わることについても、科学的に分かるようになってきました。

この本では、そんな最新の研究成果をもとに、勉強に役立つ脳のしくみや効果的な勉強法を紹介しています。

脳科学と聞くと、専門的な話なのではないかと思ってしまうかもしれませんが、安心してください。専門用語はできるだけ使わず、図解はふんだんに使って、だれでもやさしく理解できるよう心がけました。

みなさんがこの本のなかから1つでも多くのヒントをつかみ、勉強の成果がしっかり出せる「勉強脳」を作ってくれることを、心から願っています。

池谷裕二

プロローグ
社会人の勉強って大変！

やってもやっても
減らないなぁ
まだこんなに
覚えることがある
ずっしり
資格試験まで
あと2か月…
8月
試験日
なのに…
ぜんぜん
覚えられる気がしない
ガーン

ペラッ
お二人ともなにやら困っているようですね
え？
ん？!
サッ
やあ
え!?
キャー!
仕事しながら勉強するのは大変ですよね でも心配ご無用!
脳科学にもとづいた勉強をすればきっと乗り越えられますよ
えーっと
失礼ですが…
どちら様でしたっけ
守衛室に…
ちょちょっと待ってください

申し遅れました
わたしは脳の研究を
している池谷です
脳博士
池谷裕二
ガヤ先生とでも
呼んでください
えっ 博士♥
ガヤ先生
はじめまして
よろしく
英会話の勉強を
しているんですが
なかなか覚えられなくて
ええーっと
ええーっと
そもそも記憶力に
自信がない……
そのうえ脳が
老化してる
かも……
なるほど
なるほど
は
はい…
記憶力に
自信がなくても
大丈夫！
覚えられる
ようになります！

脳科学…なんだか難しそうですね～
いえいえつまり勉強にはちょっとしたコツがあるということです
実はぼく覚えられないうえに時間もなくて…
試験まであと2か月…
忙しい……
睡眠不足
なんとかなるでしょうか？
わっ分厚いテキスト！
ズッシリ
まだこんなに残ってて…
これは大変だ

勉強の
効率だって
アップできます！
キラン
教えてください！
脳科学にもとづいた
勉強法を！
ガヤ先生！
ヨシ！
任せてください
ドン
さっそく教えましょう！
その勉強法を！
オー！

もくじ

点ゲットー!
フムフム
グスン

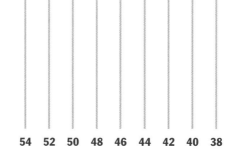

第4章 眠るのも勉強!? 睡眠と記憶のフシギ

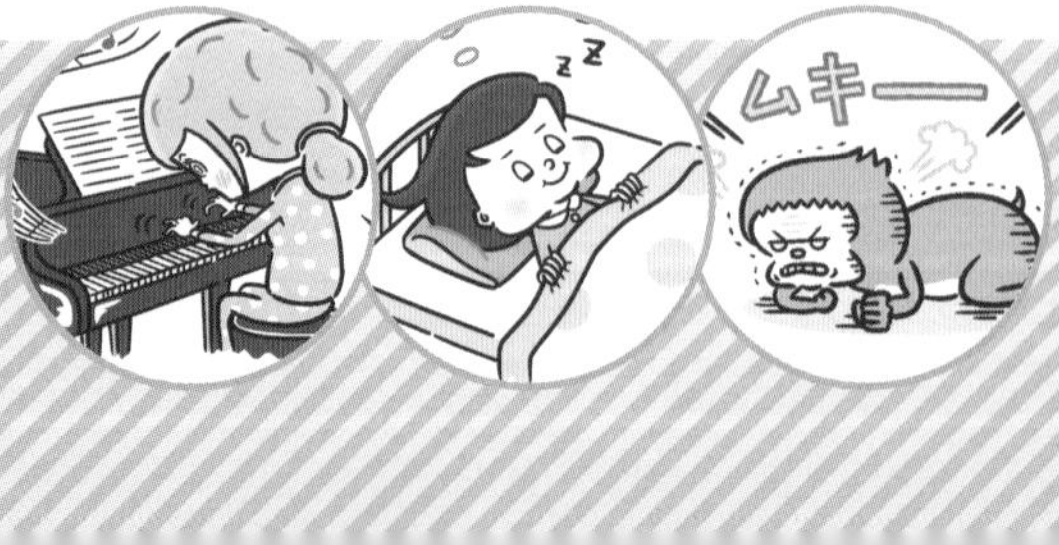

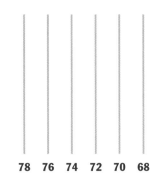

付録

やる気をコントロールして勉強を続けよう！

コラム

第1章

なぜ？ どうして？ すぐに忘れてしまう理由

勉強するときに、だれもが悩まされる、
「覚えたことを忘れてしまう」という現象。
でも、脳はいったいなぜ忘れてしまうのでしょうか？
忘れにくい脳を手に入れることはできるのでしょうか？
実は、脳が忘れるのには、理由があります。
そこで、まずは脳が忘れる理由について知り、
忘れないための工夫を探っていきましょう。

また忘れた…
required

CHAPTER 1-1

脳は覚えるより忘れるほうが得意！

会ったことがあるはずの人の名前、勉強したばかりの英単語……わたしたちはなぜ、覚えたことを忘れてしまうのでしょうか？

どうして忘れてしまうの？

みなさんは、初めて会った人の名前を忘れてしまって、2度目に会ったときに「あれ、だれだっけ……」と困ったことはありませんか？　ほかにも、暗記したい英単語や読んだ本の内容など、覚えられなくて困ったこと、ありますよね。

でもどうして人は、すぐに忘れてしまうのでしょうか。

自分の記憶力が特別に乏しいからというわけではありません。それは、脳のしくみがそうなっているからなのです。

脳が忘れるわけ

そもそも、脳の覚えておける量には限りがあります。ところが脳に入ってくる情報はとても多いのです。そのため、大事なこと以外は忘れるようになっています。

また、脳はほかの器官にくらべて多くのエネルギーを必要とするので、エネルギーを節約するためにも、できるだけ忘れるようになっています。

こんなわけで、人間の脳は覚えておける量よりも、忘れてしまう量のほうがずっと多いのです。つまり「覚える」よりも「忘れる」ことのほうが得意、というわけです。

チェックポイント

- **すぐ忘れてしまうのは、記憶力のせいではなく、脳のしくみがそうなっているから。**
- **脳のしくみが忘れるようになっているのは、入ってくる情報量が多すぎるから。そして使うエネルギーを節約したいから。**

エネルギーが足りなくなるから

脳の重さは、体全体のたった2%ととても小さい。ところが、使うエネルギーはその10倍の20%！　大食らいの脳は、忘れることでエネルギーを節約している。

多すぎる情報を選んでいるから

見たもの、音、匂い……脳に入ってくる情報をすべて詰め込んだら、脳は5分以内にいっぱいになってしまう。だから、大事な情報だけを覚えて、あとは忘れるようになっている。

脳が忘れるのには、それなりの理由があったんですね

はい。脳が忘れるのはごく当たり前のことなんです

CHAPTER 1–2

記憶には「ちょっと」と「ずっと」がある

脳に入った情報は、いったいどこへ行くのでしょう。
なにかを記憶するとき、脳のなかでは
どんなことが起きているのでしょうか？

短期記憶と長期記憶

「記憶」とは、脳科学的に言うと、見たり聞いたり感じたりした情報を脳のなかに置くことです。

脳のなかには、情報を置いておくところが2つあります。それぞれ「短期記憶」「長期記憶」と呼ばれています。

短期記憶は、すべての情報が最初に置かれるところです。量はたくさん入りますが、置いておける時間は「ちょっと」だけです。

長期記憶は、大切な情報だけを置いておくところです。入れられる量は少ないですが、「ずっと」置いておけます。

大量の短期記憶はどこに？

新しく入ってくる情報は、まず短期記憶に置かれます。ところがちょっとしか置いておけないので、古い情報はすぐに出ていかなくてはなりません。

ではどこへ行くのでしょうか？

短期記憶から出ていった情報の行く道には、次の2つがあります。

1つは、脳から追い出されてしまう道。わたしたちはその情報を忘れてしまいます。

もう1つは、その先の長期記憶に行く道。ごく限られた、数少ない情報だけが、この道を進めます。

チェックポイント

- ☑ 記憶には「短期記憶」と「長期記憶」の2種類がある。
- ☑ 短期記憶から追い出された情報の一部だけが長期記憶に行ける。

長期記憶
情報を「ずっと」置いておくところ。大切な情報のみ、入ることができる。
ヤッター
入れたー♪
落ちるー
短期記憶
情報を「ちょっと」の時間だけ置いておくところ。脳に入ってきたすべての情報が最初に置かれる。

ん？ 真ん中の番人みたいな姿をしたのはなんですか？
彼こそが記憶のキーパーソン！
次のページで詳しく説明しましょう

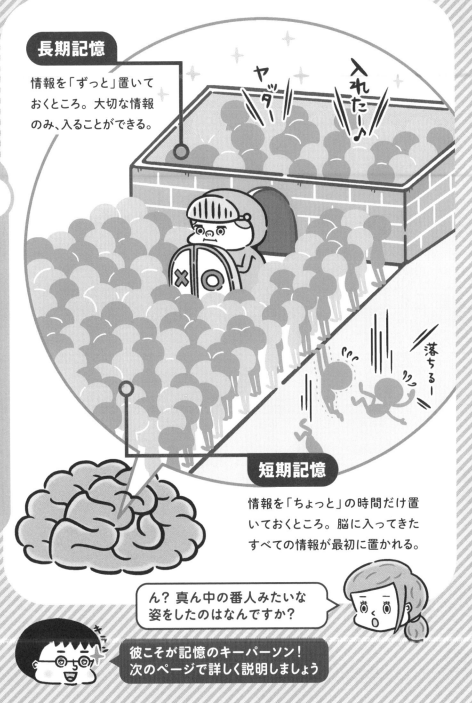

CHAPTER 1-3

覚えるか忘れるかを決めるのは「海馬」

脳に入った情報が、覚えておくべきものなのか、忘れてしまっていいものなのか。それを決めている「脳の番人」を紹介します。

海馬が記憶を選り分ける

脳に入ってきた情報が、忘れられてしまうか長期記憶に行けるかは、どうやって決まるのでしょうか。

それを決めているのが「海馬《かいば》」です。海馬は、左右それぞれの耳の奥あたりにある子どもの小指ほどの小さな部位。脳に入ってきた情報を選り分ける仕事をしています。

つまり、情報を覚えられるかどうかは海馬しだい。みなさんがどんなに「これは大事なことだから絶対に覚えたい！」と思っても、脳のなかの海馬が「大事じゃない！」と判断したら、覚えることができないのです。

海馬が選び、大脳皮質で保存

すべての情報のうち、海馬に「これは大事だ」と判断されたものだけが、長期記憶へ行くことができます。

ちなみに、長期記憶があるのは「大脳皮質」という脳の表面を覆っている部位。脳は分業制になっていて、部位によって専門の役割があるのです。海馬は記憶の番人、大脳皮質は記憶の倉庫というわけです。

では、記憶の番人・海馬は、いったいどんな基準で、情報が大事かそうでないかを決めているのでしょう。

チェックポイント

- ☑ 脳に入った情報は、海馬によって、忘れるものと覚えるものに分けられる。
- ☑ 情報の選り分けは海馬が、保存は大脳皮質が担っている。

はじめまして！ 海馬です

海馬くん
ヤッター
きみは
大事だから
入ってよし！

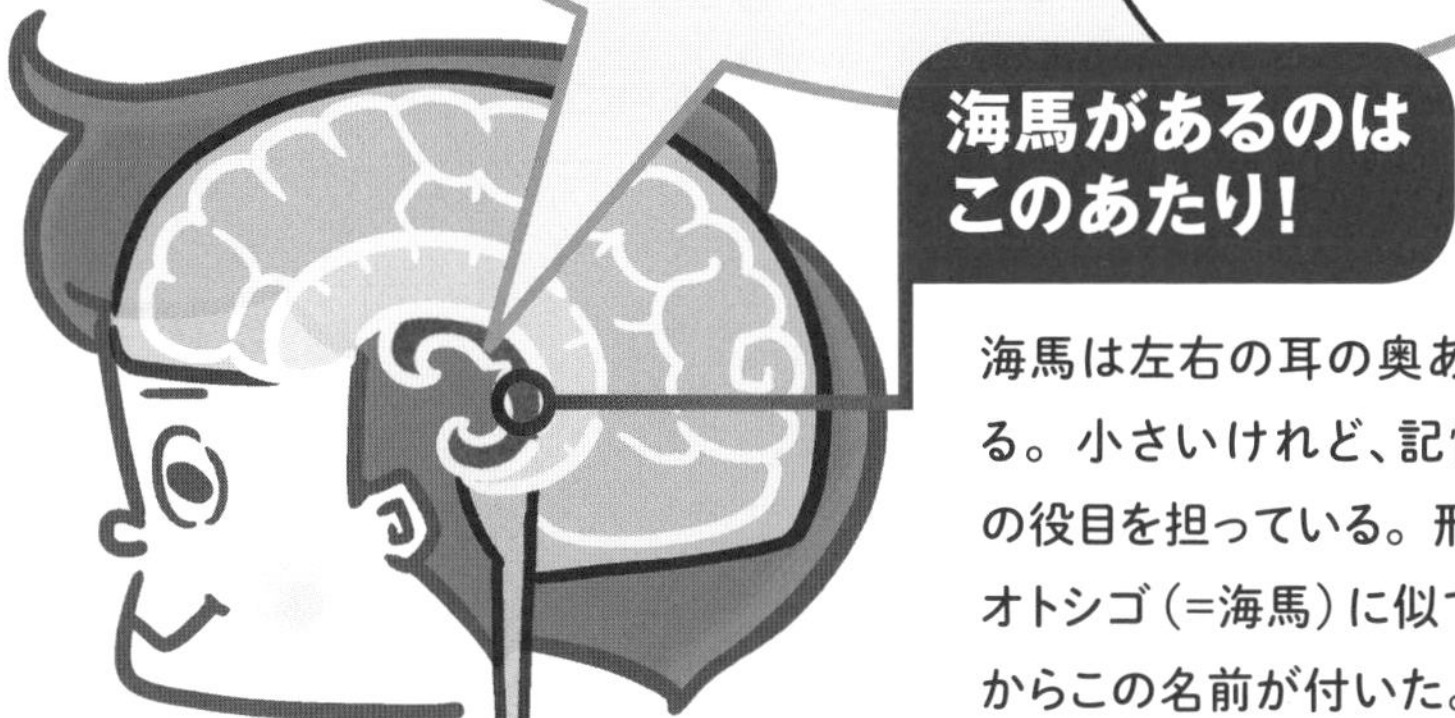
海馬があるのは
このあたり！

海馬は左右の耳の奥あたりにある。小さいけれど、記憶の番人の役目を担っている。形がタツノオトシゴ（＝海馬）に似ていることからこの名前が付いた。

情報を選別しているのは
海馬だったんですね

そう、彼こそが
記憶の番人なんです

CHAPTER 1-4

情報を繰り返し使って海馬をだまそう

ずっと覚えておきたいことを
海馬に「大事な記憶」と判断してもらうために、
わたしたちは、なにをすればよいのでしょうか?

大事なのは、命に関わる情報

人間は大昔から、大自然のなかで狩りをしながら暮らしてきました。獲物を得られなければ飢え、野生の動物に命を奪われることもありました。生き延びることが、いまよりずっと難しかったのです。だから、人間にとって大事なのは「命に関わる情報」でした。

脳のしくみは、そのころとあまり変わっていません。だから、海馬はいまも「命に関わる情報」を大事な情報だと判断します。これが、情報が大事かそうでないかの基準になっているのです。

海馬をだますには?

ところが、勉強で得た情報は「命に関わる情報」ではありません。なぜなら、それらは空腹を満たしてくれるわけでも、天敵から自分を守ってくれるわけでもないからです。

では、海馬にそれらを「命に関わる情報」だと勘違いさせるには、どうしたらいいでしょう。

みなさんは、毎日会う同僚の名前は、命に関わらなくても忘れませんよね。これは、海馬が「こんなに繰り返し使う情報なら、きっと大事なんだ!」とだまされているから。

そう、コツは「繰り返し使って、海馬をだます」ということなのです。

チェックポイント

- ☑ 海馬は「命に関わる情報」を覚えようとする。
- ☑ 海馬をだまして「大事な情報」だと勘違いさせるには、その情報を繰り返し使えばよい。

1回目
高橋です
はじめまして
命とは関係ないから入れないぞ
ポイ
高橋
あっ だれだっけ?
2回目
おはよう
高橋さん!
そうだ 高橋さんだ
あれ また?
高橋
海馬がだまされた!
3回目
高橋さん おつかれさまです
あっ どーも
繰り返し使ってるぞ! きっとこの情報は大事なんだ!!
海馬
高橋
繰り返せば覚えてくれるなんて海馬って意外と単純なんですね
そう! うまく付きあえば勉強も一気に効率を上げられます

CHAPTER 1-5

脳は「いいかげん」だからこそ役に立つ

すべてを記憶できる完璧な脳を手に入れたい!?
その気持ちは分かりますが、ちょっと待った!
本当にそれがいいことなのでしょうか…?

コンピューターみたいな脳!?

ここまで、忘れっぽい脳にどうやって記憶させるかを考えてきました。でもなかには、こんなふうに思う人もいるのではないでしょうか。

「脳もコンピューターみたいに、一瞬で全部記憶できればいいのに!」

確かに、そうすれば人の名前を忘れて困ることもないし、どんな試験だって苦労せずにパスすることができるでしょう。でも、全部記憶すると、困ることもあります。

大事なところだけで判断する

みなさんは、久しぶりに会う友達が見慣れない色の服を着て、髪型を変えていても、パッと見で「友達だ!」と判断することができますよね。

でも、コンピューターはそうはいきません。「服の色も髪型も違うから、別人だ」と判断してしまうのです。もし正しい判断ができたとしても、大量の情報を照合するためにたくさんのエネルギーや時間を使わなくてはなりません。

みなさんが「友達だ!」と分かるのは、脳がいい具合に「いいかげん」だから。大事なところだけ同じなら、「友達だ!」と思えるようにできているのです。つまり、いいかげんさは、脳の柔軟さでもあるんです。

チェックポイント

- ☑ 脳がすべての情報を記憶すると困ることもある。
- ☑ 脳は大事なところだけを覚えているので、パッと見で判断することができる。

いいかげんさは脳の応用力！

人間ほど記憶がいいかげんな動物はほかにいない。原始的な動物ほど、正確に記憶する。つまり、記憶のいいかげんさは、人が進化する過程で手に入れた「応用力」といえる。

ルミさん？
別人？
ワンピースかわいい♪
あっルミさん！

忘れっぽくてもいいんですね！
もちろん！ すぐれた脳を持っている証拠です

CHAPTER 1–6

年齢にふさわしい「記憶の種類」がある

さて、ここからは、脳と年齢の関係について考えてみましょう。年齢に合った勉強方法を知ることで、いまよりもっと効果的な勉強ができるはずです！

年齢と記憶の関係

さて、みなさんは、年齢に合った「記憶の種類」があるのをご存知ですか？

記憶の種類は全部で３つあり、「方法記憶」「知識記憶」「経験記憶」と呼ばれています。それぞれにふさわしい年齢があり、年齢に合ったものを使うと、勉強の効率を上げることができます。

さっそく紹介していきましょう。

大人の勉強は「経験記憶」で！

方法記憶は、歩き方や箸の使い方、自転車の乗り方など、体で覚える記憶です。無意識のうちに覚え、忘れにくいのが特徴です。もっとも早く発達します。

知識記憶は、知識や情報を詰め込む記憶、いわゆる暗記です。中学生くらいまではこれが得意です。

経験記憶は、昨日の夕食や旅行の思い出など、自分が経験したことの記憶です。みなさんが「過去の記憶を思い出してください」と言われて思い出すのは、ほとんど経験記憶ではないでしょうか。大人になると優位になる記憶です。

もし「歳を取って覚えが悪くなった」と感じているなら、詰め込み式の知識記憶で覚えようとしていませんか？　今日からは、大人の勉強にふさわしい「経験記憶」を意識して勉強してください。

チェックポイント

- ☑ 記憶には「方法記憶」「知識記憶」「経験記憶」の3種類があり、それぞれにふさわしい年齢がある。
- ☑ 大人は経験記憶で勉強するのがよい。

3種類の記憶

うれしー
自由に
思い出せる
高度な記憶
高度
エス、ティー、
ユー、ディー、ワイ
"study"
乗れた！
乗れた！
原始的
命に関わる
記憶

経験記憶

思い出など、自分が経験したことの記憶。大人になると優位になる。

知識記憶

詰め込んで暗記するタイプの記憶。中学生くらいまではこれが得意。

方法記憶

もっとも早く発達する記憶。体で覚える記憶で、忘れにくいのが特徴。

確かに思い出って、大人になってからのもののほうが多いわ
経験記憶は大人の得意分野
ぜひ勉強にいかしてください！

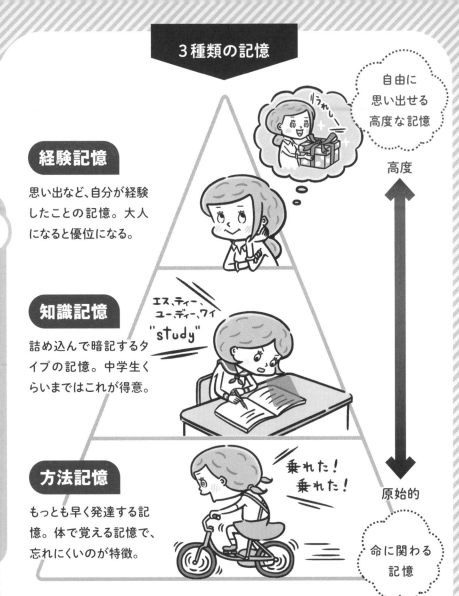

CHAPTER 1-7

脳と年齢にまつわる思い込みを捨てよう

「歳を取って記憶力が衰えた」と言う人がいます。本当でしょうか？　それは脳の老化ではなくただの思い込みかもしれません。

脳細胞の数は減らない

さて、みなさんは「歳を取ると記憶力が衰える」と聞いたことはありませんか？　脳科学的に言うなら、これはウソ。歳を取っても記憶力は低下しません。

「歳を取って記憶力が衰えた」と感じる人のなかには、さまざまな思い込みがあるようです。

よく聞くのは「脳細胞の数が減る」というもの。でも、脳の神経細胞の数は、3歳から100歳までほとんど変わりません。アルツハイマー病などの病気にかからない限り、脳は経年劣化しないのです。記憶力も衰えません。

こんなことも要因に

勉強時間の減少も、思い込みの大きな要因です。学生時代は勉強が本業。一日じゅう勉強し、学校の先生までついていました。大人の勉強があのころのようにいかないのは、当たり前なのです。

ちなみに、「思い出すのに時間がかかるな……」と感じるのは、脳のなかの情報が増えたためです。情報が増えれば、検索するのに手間や時間がかかるのは当たり前なのです。

ネガティブな思い込みは能力を低下させてしまいます。この機会に、そんな思い込みは捨ててしまいましょう！

チェックポイント

- **脳細胞の数は減らない。記憶力も衰えない。**
- **大人になり勉強時間が減れば、覚えが悪くなって当たり前。**
- **思い出すのに時間がかかるのは、脳内の情報が増えたせい。**

アヤナ・トーマス博士の実験
2011年

若者と年配者をそれぞれ2グループに分け、異なる事前説明をして、同じ内容の試験を受けてもらった。

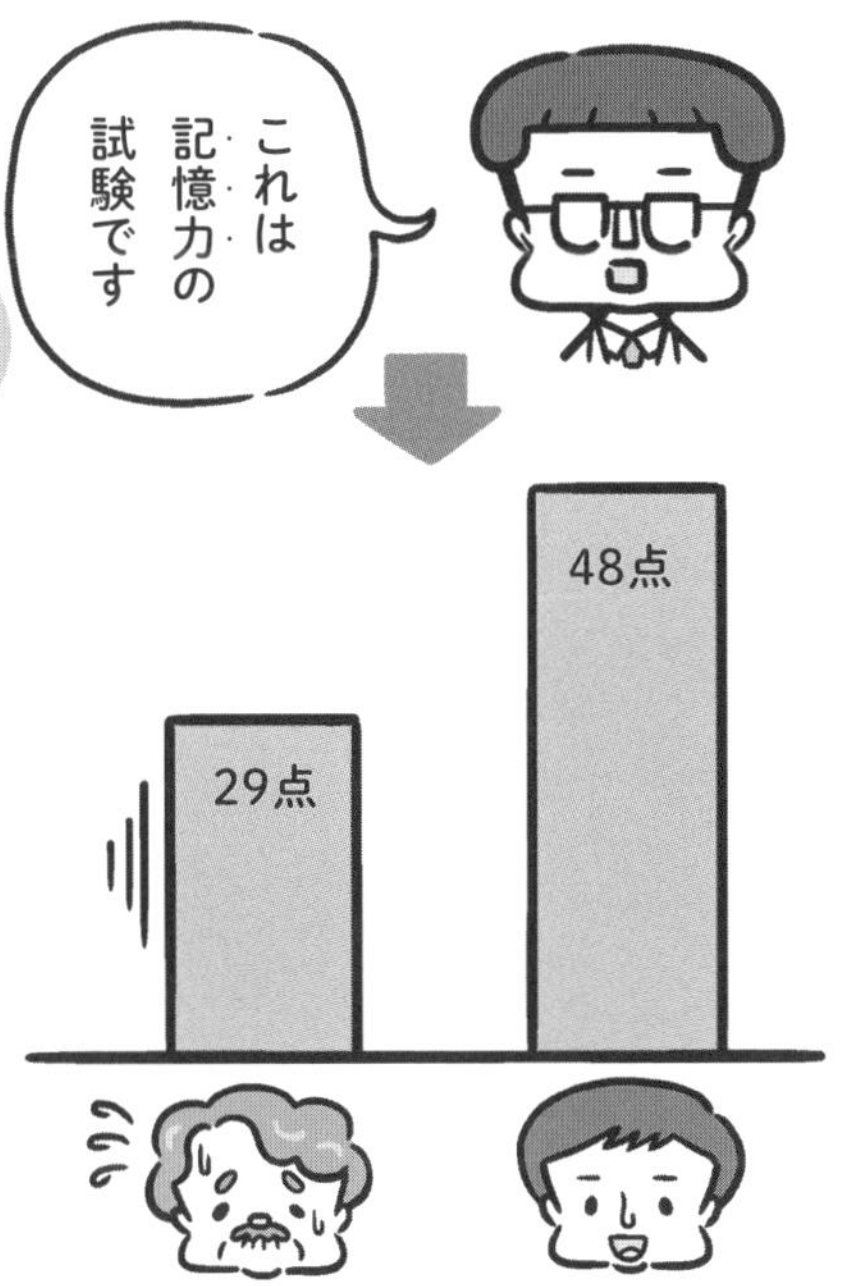
これは記憶力の試験です
48点
29点

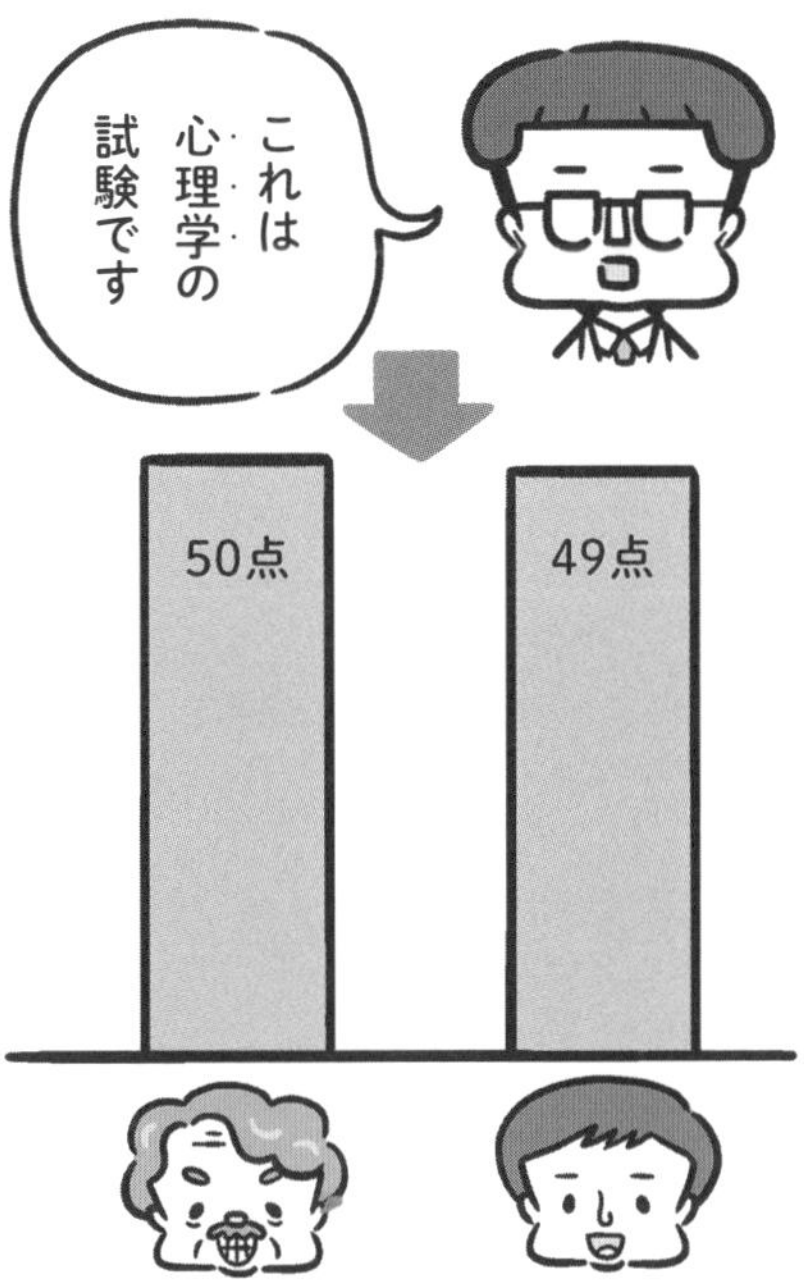
これは心理学の試験です
50点
49点

年配者のみ30%低下!!

年配者のグループは「記憶力の試験なら自分には難しいだろう」と思い込み、得点が低下してしまった。

年齢による差はほぼナシ

ただの心理学の試験だと思って受けたグループでは、若者と年配者のあいだに得点の差はなかった。

こんなに点数を下げてしまうなんて
脳の老化より思い込みのほうが怖いですね

そう。悪い思い込みは
サッサと捨ててしまいましょう

CHAPTER 1-8

「ど忘れが増えた」と感じるのは気のせい!?

年齢によって記憶力が衰えないのと同じように、「ど忘れ」が増えることもありません。信じられない? いったいどういうことか、詳しく見ていきましょう。

ど忘れの頻度に年齢差はない

脳と年齢の関係について説明してきましたが、まだこんなことを言っていませんか?

「そうは言っても、やっぱりど忘れが増えたのは、歳のせいだよなあ」

これについても調査が行われ、「ど忘れの頻度に年齢差はない」という結果が出ています。

時間経過の感覚の違い

みなさんは「最近どれくらいど忘れをしましたか?」と質問されたらどう答えるでしょう。

ここでポイントになるのは「最近」が指す期間です。あなたならいつからいつまでのど忘れを数えますか?

大人は「最近」と言われると過去半年くらいを想定します。これに対し、子どもの「最近」はせいぜい過去1週間。これは、大人のほうが子どもよりも時間の経過を早く感じるためです。これでは、ど忘れの回数に差が生まれてもしかたありません。

きわめつけに、大人はど忘れするたびにいちいちそのことを気にして、ど忘れしたことを脳に刻みます。

「ど忘れが増えた」という気分に浸るのは、もう終わりにしましょう。脳は老化しないし、ど忘れも増えないのです。

チェックポイント

- ど忘れの頻度は、年齢とは関係がない。
- ど忘れが増えたと感じるのは、大人のほうが長い期間で数えたり、ど忘れしたことを気にしたりするから。

Q 最近どれくらいど忘れをした？

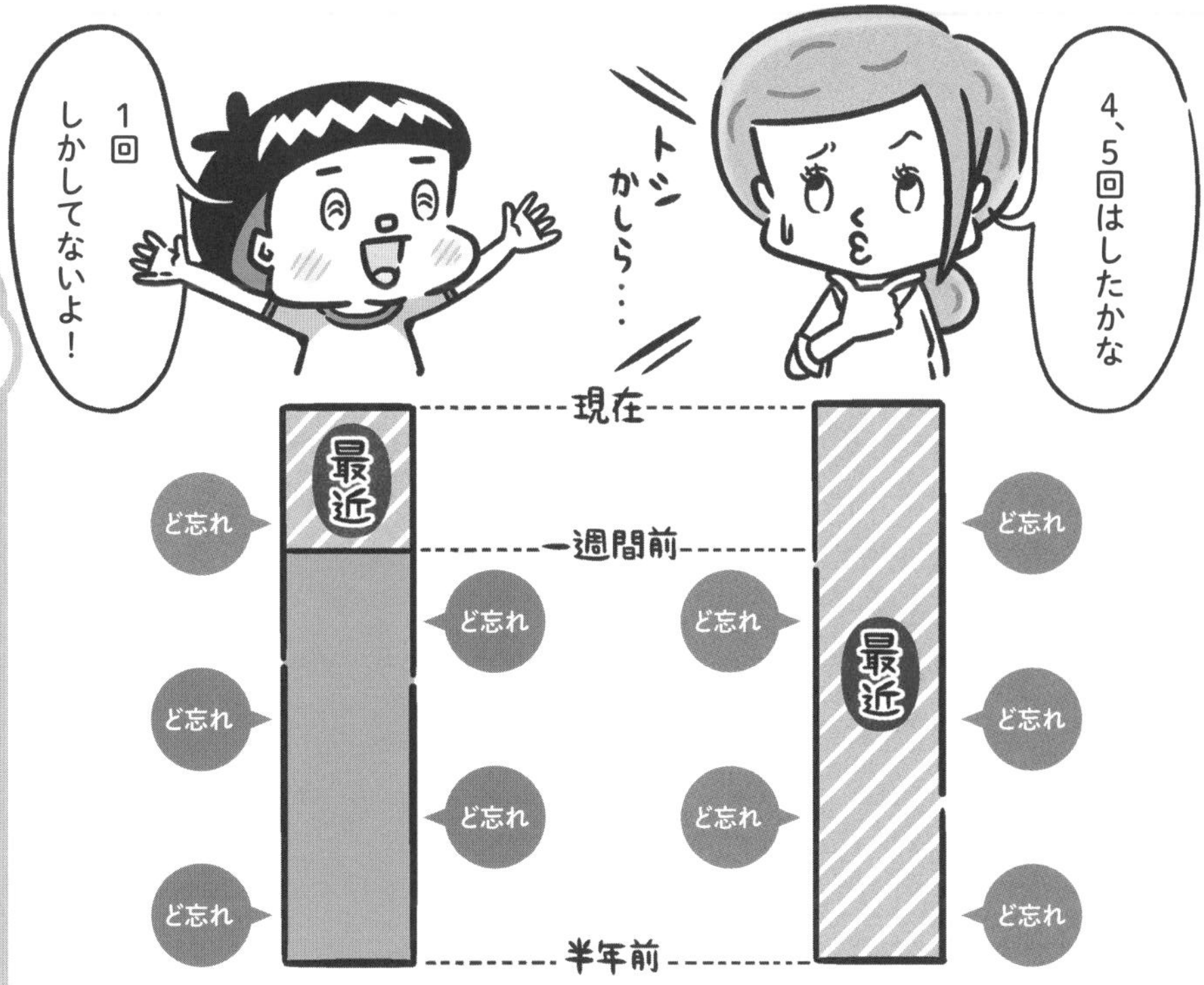

子どもの「最近」は短い

子どもが記憶をさかのぼるのは、せいぜい1週間程度。当然、ど忘れの回数も少ないように感じる。

大人の「最近」は長い

時間の経過を早く感じる大人は、長い期間をさかのぼってど忘れを数えるので、回数が多いように感じる。

CHAPTER 1-9

不快なストレスは勉強の大敵

勉強というと気が重くなってしまうという人は
それだけで損をしているかも!?
ストレスと勉強の関係について知っておきましょう。

脳はストレスに敏感

「何度覚えても忘れてしまう……」「いくらがんばっても成績が上がらない」

こんなふうに、勉強することにストレスを感じることも、脳に影響を与えます。脳はストレスに対応するための重要な器官であり、ストレスを敏感にキャッチする器官でもあるからです。

不快なストレスに要注意

ストレスとは、もともと環境の変化に適応するための反応のことをいい、脳によい影響を与える「快ストレス」と、悪い影響を与える「不快ストレス」の2種類があります。

新しいチャレンジや、ちょっとした生活環境の変化など、心地よいと感じる程度の「快ストレス」は、脳の働きを活性化させてくれます。

ところが、ストレスが度を越し、いやいや勉強したり、体力的にムリをするようになると、それは「不快ストレス」となり、神経細胞を萎縮させます。脳の機能は低下して、記憶力や学習能力が落ちてしまうのです。

すぐに忘れてしまうのは、脳科学的には自然なこと。忘れたら、また覚えればいい。そんな気持ちで、ストレスをためないように、楽しく勉強と向き合いましょう!

チェックポイント

- ☑ストレスは脳に影響を与える。
- ☑「快ストレス」は脳の働きをよくする。「不快ストレス」は脳の機能を低下させ、記憶力や学習能力も落としてしまう。

快ストレスは脳を活性化！

脳
よーしやるぞ！
知らないことを知るのは楽しいなぁ♪
試験問題集

適度なストレスを受けると、脳は活動を活発化させ、「対応しなくては！」と前向きに反応する。記憶力や学習能力も高まる。

不快ストレスは学習能力を低下

イヤだよう覚えられないよ〜
脳
がんばっても成績が上がらない……どうせぼくなんか……

脳はストレスに対してとても敏感。負荷が大きいと神経細胞が萎縮し、機能が低下する。記憶力や学習能力にも悪影響が出てしまう。

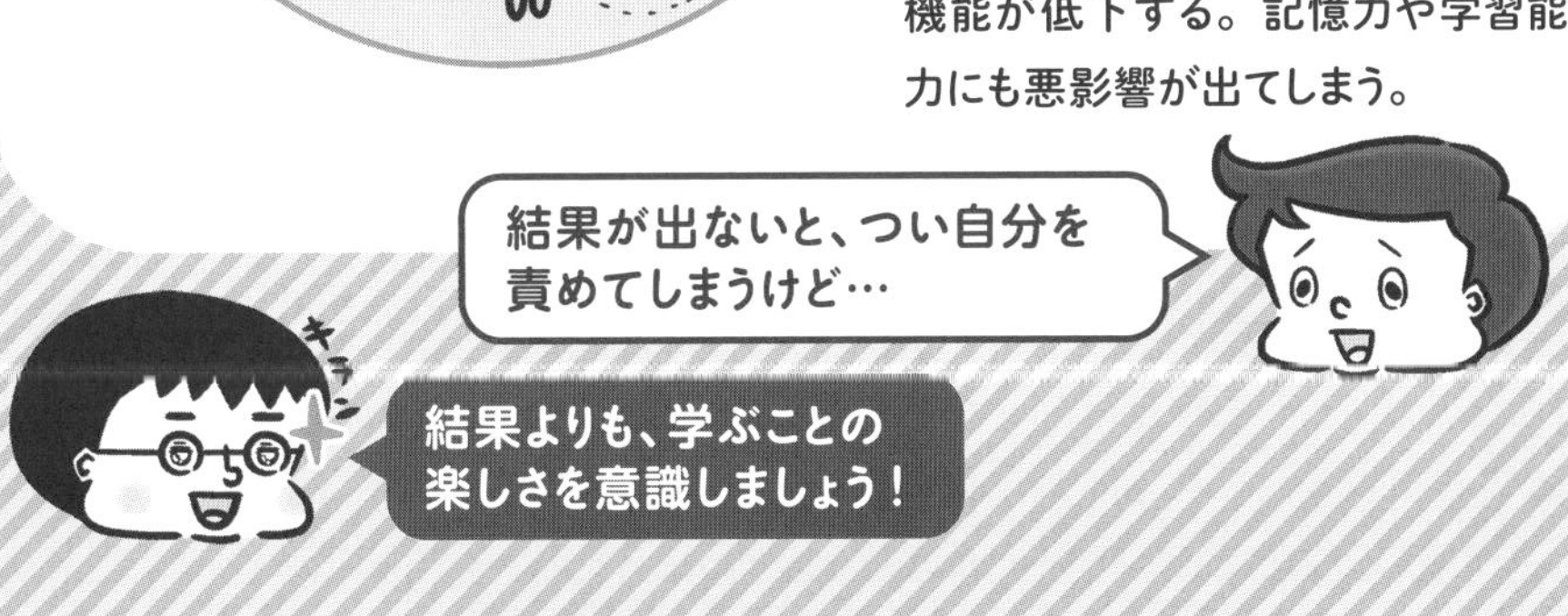
結果が出ないと、つい自分を責めてしまうけど…
キラッ
結果よりも、学ぶことの楽しさを意識しましょう！

COLUMN
1

上手にリフレッシュして成績アップ！

さてここで、脳科学的リフレッシュ法を紹介しましょう。
ポイントを押さえた賢いリフレッシュタイムは、
勉強の効率を上げるのにも効果的なんです！

休憩

休憩時間はなにもしない

長時間勉強し続けるよりも、適度に休憩を取るほうが成績は上がります。

平均的なペースとしては、40分やったら5〜10分休憩するくらいが効率がよいようです。とはいえ、勉強内容や体調も考えながら、自分に合ったタイミングで取ればOK！

大事なのは、休憩時間になにもしないこと。ゲームをしたり音楽を聞いたりする人にくらべて、静かな場所でなにもしないでいる人のほうが、成績がよいのです。

水分補給

試験前の水分補給で成績アップ

体のほとんどが水でできている人間は、1%程度の脱水で、学習能力や、ほかのさまざまな能力が落ちてしまいます。のどが渇いていなくても、こまめに水分を補給することが大切です。目安は1日8杯。

試験があるときは、試験前に水分補給をするだけで、成績が上がります。

ただし、飲みすぎもよくありません。めまいや頻尿の症状が出たら、水中毒のサインです。

エクササイズ

体を動かすと記憶力も上がる!

体を動かすことと勉強は関係がないように見えますが、実は記憶力アップに役立ちます。週に3回は運動をするように心がけましょう。

さらに、ストレスが減る、気分がさわやかになる、睡眠(※)の質が上がるなどの効果も。運動はいいことづくしなのです!(※睡眠は、脳と深い関係があります。詳しくは第4章で紹介します。)

第2章

知って納得！
脳のしくみに合った
勉強法

ここまででみなさんは、
「脳が忘れるのには理由があって、それは当たり前のこと。
決して歳のせいなんかではない」
ということが分かりましたね。

そこで第2章では、
脳のしくみをさらにひも解きます。
脳のしくみに合った勉強法とはどんなものなのか、
具体的に探っていきましょう！

CHAPTER 2-1

脳はどんなふうに忘れていくの？

忘れっぽい脳とうまく付きあうために、まずは脳が忘れるスピードについて理解しましょう。強い勉強脳を作るためのヒントになります。

忘れるスピードはみんな同じ

脳は忘れっぽいとお伝えしてきましたが、実際にどれくらいのスピードで忘れてしまうのでしょうか。

エビングハウスという学者がこんな実験をしました。最初に意味のない10個の単語を被験者に覚えてもらい、どれくらい忘れたか、時間を追って調べてみたのです。

結果は、記憶力に自信がある人もない人も、ほとんど同じでした。つまり、忘れるスピードにはほとんど個人差がないということが分かったのです。

左の図は、この実験結果を示したもので、「忘却曲線」と呼ばれています。最初の4時間で半分忘れ、2日後には2～3個しか残っていません。こんなふうに、わたしたちは最初にかなりのスピードで忘れ、徐々にゆっくり忘れていきます。

記憶は干渉しあう

ちなみに、忘れるスピードは、最初に覚える単語の数が多ければ多いほど、早くなっていきます。

また、新たに似た単語を覚えようとすると、古いほうの記憶を忘れやすくなることも分かっています。似た情報同士が相互干渉を起こすのです。これを「記憶の干渉」といいます。

チェックポイント

- **忘れるスピードに個人差はほとんどない。**
- **最初に一気に忘れ、徐々に忘れにくくなる。**
- **たくさん詰め込んだり、似たものを覚えようとしたりすると、忘れやすくなる。**

忘却曲線

忘れるスピードに個人差はない

人はだれでも、だいたい4時間で、記憶の半分を忘れてしまう。2日後には、わずか2～3個の記憶しか残っていない。

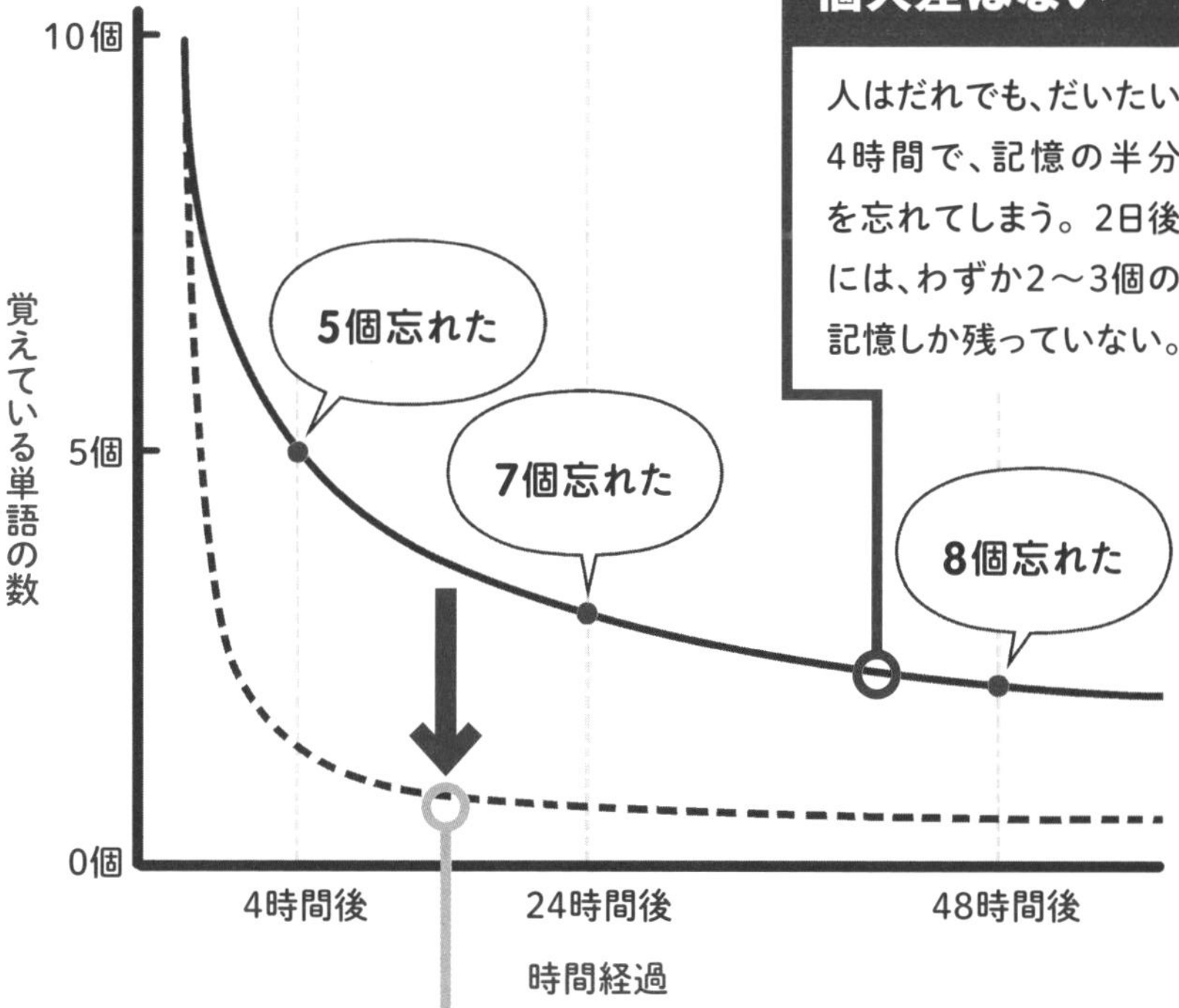
10個
5個
0個
覚えている単語の数
5個忘れた
7個忘れた
8個忘れた
4時間後
24時間後
48時間後
時間経過

記憶の干渉が起きると…

最初の10個を覚えた1時間後に、さらに新しい単語を10個覚えた場合。最初の10個を忘れるスピードは、さらに加速する。

試験直前に詰め込むなら前日の夜ではなく当日の朝ですね

はい。でも、それではすぐ忘れてしまいます 忘れにくい勉強法については、のちほど紹介します！

CHAPTER 2-2

忘れにくい記憶は復習で作る

「自分は人より記憶力が悪い」と感じているなら、
それは、能力ではなく、勉強のしかたのせいかもしれません。
あなたの勉強法は、脳のしくみに合っていますか?

復習で記憶を長持ちさせる

忘れるスピードにほとんど個人差がないのなら、記憶力のいい人と悪い人ではなにが違うのでしょうか? それはズバリ、勉強のしかた。脳のしくみに合った勉強をしているかどうかです。

みなさんは、覚えたことをそのままにしてしまっていませんか? それでは、忘却曲線のとおり、記憶はどんどん減っていってしまいます。

ところが、復習をして覚えたことをもう一度覚え直すと、記憶が長持ちするようになります。

脳でなにが起きている?

復習をすると、脳のなかではなにが起きているのでしょうか?

海馬は、繰り返し刺激することで活性化し、情報をより強く脳に記憶しようとする性質があります。この現象を「LTP」(長期増強=long-term potentiation)と呼びます。

左の図は、復習をした場合としなかった場合の、忘却曲線の比較です。復習をした場合では、カーブがゆるやかになり、忘れる量が減っています。LTPが起きている証拠です。

LTPは、一度刺激を与えただけでは起こりません。復習もせずに覚えようなんて、間違った考えだったのです。

チェックポイント

- ☑ **記憶を長持ちさせるためには、復習が欠かせない。**
- ☑ **海馬を繰り返し刺激すると、情報はより強く脳に記憶される。この現象を「LTP」という。**

忘却曲線の比較

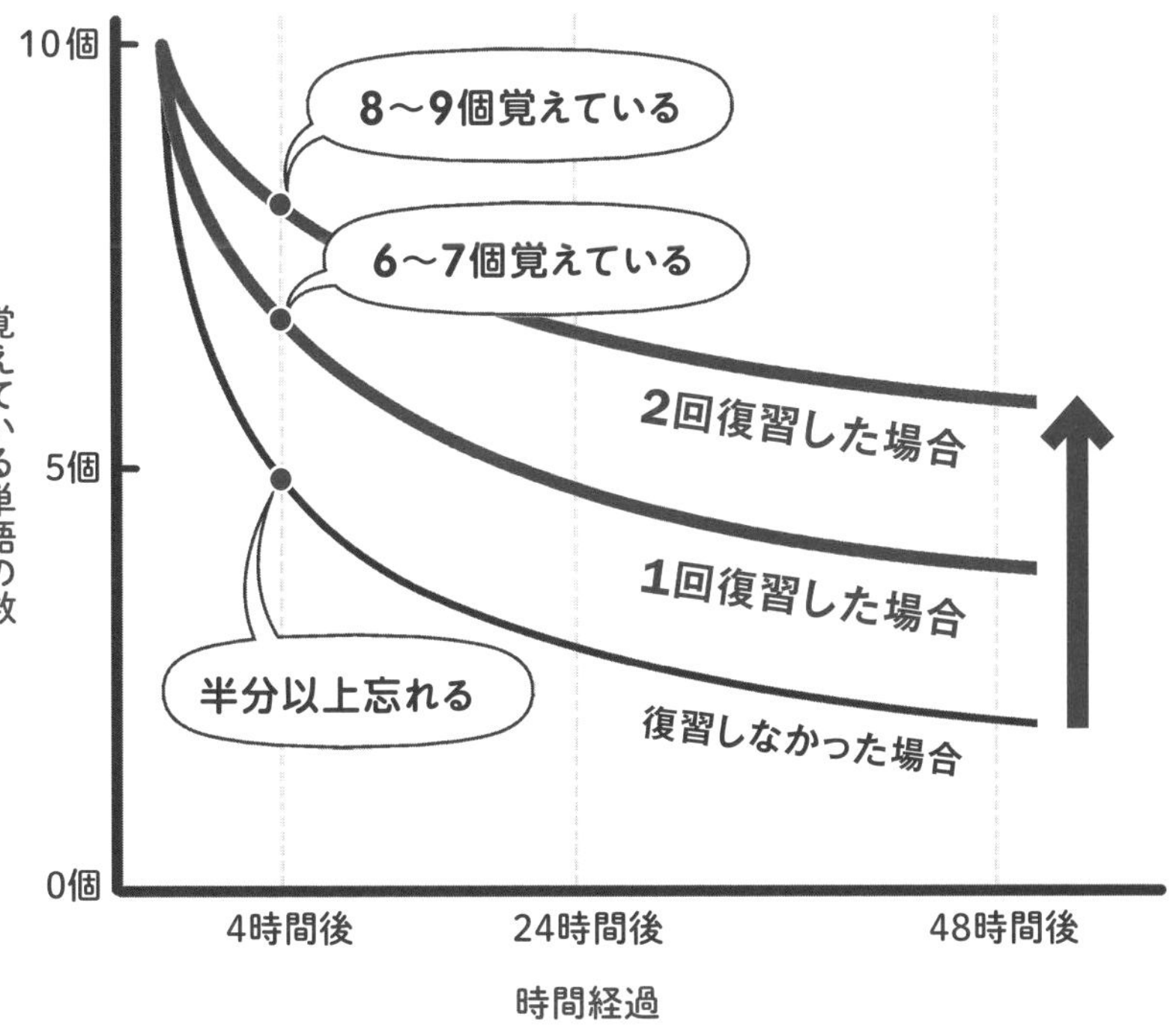

10個
5個
0個
覚えている単語の数
8〜9個覚えている
6〜7個覚えている
半分以上忘れる
2回復習した場合
1回復習した場合
復習しなかった場合
4時間後
24時間後
48時間後
時間経過

たった1回の復習で20%の差に!

復習の回数が多いほど、忘却曲線のカーブがゆるやかになる。4時間後に残っている記憶の量をくらべると、復習しない場合が5個なのに対して、1回復習した場合は7個、2回復習した場合は9個にまで上がる。

一度覚え直すだけでも
ずいぶん差が出ますね
はい。そして時間が経つほど
その差は大きくなります

復習をするのに最適なタイミングがある

記憶を脳に定着させるために欠かせない復習。
では、いつ・何回くらいやればいいのでしょう。
最適なタイミングで、効率よく復習しましょう！

記憶の賞味期限は1か月

記憶を定着させるためには、復習が大事だということが分かりましたね。

ところが、毎日やみくもに復習していては、いくら時間があっても足りません。復習には、より少ない勉強量で最大の効果を上げられる、もっとも効果的なタイミングがあるのです。

記憶の門番・海馬は、約1か月をかけて、重要な情報かどうかを選別します。そのあいだに繰り返し使うものを「大事な情報だ」と思って、覚えようとします。

ですから復習は、新しいことを学んでから最初の1か月にやらなければ、意味がないのです。

最適なタイミング

では、復習をいつ、何回やるのが最適なのでしょう。

実験を重ねて調べたところ、左のグラフのような結果になりました。1回目の復習は学習した翌日、2回目はその3日後。さらにその7日後、21日後……というふうに間隔を広げながら、合計7回。これが脳のしくみに合った、最適なタイミングだったのです。

7回復習してしっかり脳に定着させることができたら、その記憶は一生モノになります。節約できた時間で、新しい勉強を進めることもできますね。

チェックポイント

- 海馬は1か月かけて、忘れるか覚えるかを判断する。
- 復習は、徐々に間隔を広げながら全部で7回が最適。

復習の最適なタイミング

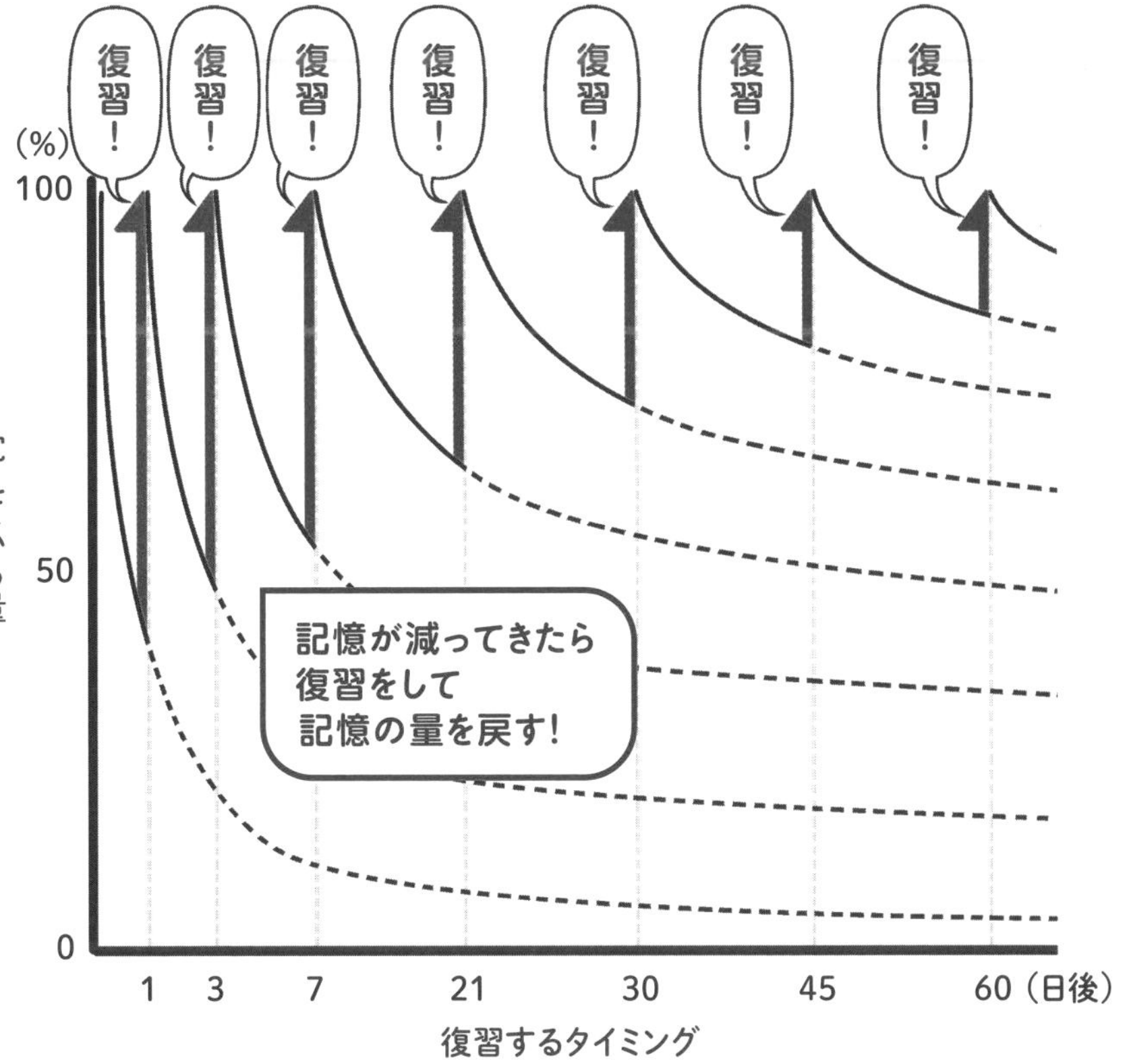
復習!
復習!
復習!
復習!
復習!
復習!
復習!
(%)
100
50
0
覚えている量
記憶が減ってきたら
復習をして
記憶の量を戻す!
1
3
7
21
30
45
60 (日後)
復習するタイミング

7回の復習で一生モノの記憶に!

復習は、1回目が学習した翌日、2回目は1回目の3日後、3回目は2回目の7日後……と全部で7回。これで記憶が脳に定着する。

けっこう時間がかかりますね
時間をかけられない場合は、勉強した翌日、その1週間後、その2週間後、その1か月後の4回、復習してみてください

CHAPTER 2-4

同じテキストを繰り返し使おう

勉強につきものなのが、テキスト選びの悩み。
でも実は、「よいテキストに出会うこと」よりも、
もっと大切なことがあるのです。

テキストはあふれている

さて、復習をするときに注意したいことが1つあります。それは、復習をするときは、いつも同じテキストを使うこと。

みなさんは、1つテキストをやり終えると、別の新しいテキストを選びたくなるのではないでしょうか。書店にはすぐれたテキストがあふれています。アプリや動画なんかもあるかもしれません。そのなかから自分に合うものを選ぶだけでも大仕事。なかには、いろいろなものを試したり、コロコロと変えたりしている人も、いるでしょう。

同じテキストで復習を

でも、同じ内容でもテキストを変えて復習すると、海馬が「新しい情報」だと認識し、復習にはならなくなってしまうのです。これでは、記憶を強化するLTPを起こすチャンスを自ら逃してしまっているのと同じです。

それに、テキストを変えるたびに、その使い方や内容を理解し直さなくてはなりません。

どのテキストを使っても、それほど大きな差を生むことはありません。それよりも、最初にコレと決めたテキストで繰り返し勉強し、効果の高い復習をすることのほうが、ずっと大切なのです。

チェックポイント

- テキストを変えて復習すると、海馬が「新しい情報」と認識し、効果が下がってしまう。
- テキストをあれこれ試すより、同じ教材で復習をするほうが効果的。

フムフム
なるほど！
試験
問題集
テキストを変えて
復習する
同じテキストで
復習する
ポイ
こっちのほうが
よさそう♪
問題集
あのとき
間違えた
ところだ……
試験
問題集
フーン
新しい情報か…
まだ覚えなくて
いいや
繰り返し
勉強してるぞ！
きっと大事な
ことなんだ!!
海馬くん

テキストを変えると、同じ情報でも海馬は「新しい情報」と認識するため、LTPは起きない。そのため、記憶もなかなか定着しない。

同じテキストを使うと、脳のなかで記憶を強化するLTPが起きる。そのため長持ちする記憶が作られていく。

評判のいいテキストを知ると
つい浮気してしまいます
コレと決めたらそのテキストを
信じて使い続けてください！

CHAPTER 2–5

「入力」より「出力」で記憶を長持ちさせる

勉強には「入力」型と「出力」型があるのをご存知ですか？脳科学的にぜひおすすめしたいのは、「出力」型の勉強。さっそく、具体的な方法を紹介しましょう。

入力するだけでは3倍忘れる

脳のしくみに合った勉強法は、ほかにもあります。それは、「入力」するよりも「出力」することで記憶を長持ちさせる、というものです。

「入力」というのは、教材を読み直したりノートを見返したりして、情報を脳に入れること。「出力」というのは、問題を解いたり人に話したりして、情報を取り出して使うことをいいます。

その効果の差を調べるために、1か月後に抜き打ちテストをしてみたところ、入力する勉強しかしていない人は、出力する勉強をした人より、3〜4倍も多く忘れていたのです。

実際に使うことで強化！

どうしてこんなことが起こるのでしょう。ここでも海馬がカギになります。海馬はたびたび出力される情報について、こう考えます。

「実際に使う機会がこんなにあるなら、しっかり覚えなくちゃ！」

そしてただ繰り返し出会うだけの入力情報よりも、優先的に覚えようとするのです。

入力した情報を長持ちさせるためには、繰り返し入力するよりも、出力するほうがずっと効率的なのです。

チェックポイント

- ☑ **問題を解いたり人に話したりする「出力」で勉強するほうが、忘れにくくなる。**
- ☑ **それは、情報を実際に使うことで、海馬は優先的に覚えようとするから。**

「出力」で記憶を強化！

一度学んだら、問題集を解いたり人に話したりして、実際に使いながら学び直す。こんなふうに出力することで、記憶が強化される。

CHAPTER 2-6 テストは勉強中にどんどんやろう!

テストは、勉強の最後にやるものでしょうか?
いえいえ、実はテストは勉強の途中でやると、
"いいこと"がたくさんあるのです。

テスト形式で出力しよう

「テスト」というと、みなさんは検定試験や昇進試験、学生時代の定期テストなど、勉強の成果を測るためのものを連想するのではないでしょうか。確かにそれもテストの役割のひとつです。

でも、実は出力型の勉強法として最適なのも「テスト」なのです。

とはいえ本番のテストを何度も受けることはできません。ですから、テスト形式で問題を解いてみてください。

学んだばかりでまだ十分覚えていなくてもかまいません。問題を解くなかで悩んだり、あれこれ推測したりすることが、記憶を強化してくれるのです。

本番に強い脳を作る

また、勉強中にテストをやることは、脳から記憶を引き出すことの練習にもなります。

「緊張して、頭が真っ白になってしまった」という経験は、だれにでもあるでしょう。でも、勉強中のテストで思い出す練習をしておけば、思い出すことがうまくなり、いざというときの緊張にも負けません。本番に強い脳を作ることができるのです。

チェックポイント

- テストは出力の勉強として最適。
- 十分に覚えていなくても、問題を解く過程で記憶が強化される。
- テスト形式で勉強することは、本番に強い脳を作ることにもつながる。

テスト形式でやる理由①

考えたり想像したりしたことがヒントになる

テストで難しい問題にぶつかったときに「ああでもない、こうでもない」と自分なりに試行錯誤をする。その道筋が、次に思い出すときのヒントになる。

金？
玉？
金科玉条
この意味を答えなさい
金科玉条？
知らない言葉だけど漢字から想像すると…

パカッ
出す練習

テスト形式でやる理由②

「出力」の練習になる

テスト形式の勉強は、「出力」の練習としても役に立つ。いざテスト本番というときにも、緊張に負けずに、脳のなかの情報を引き出せるようになる。

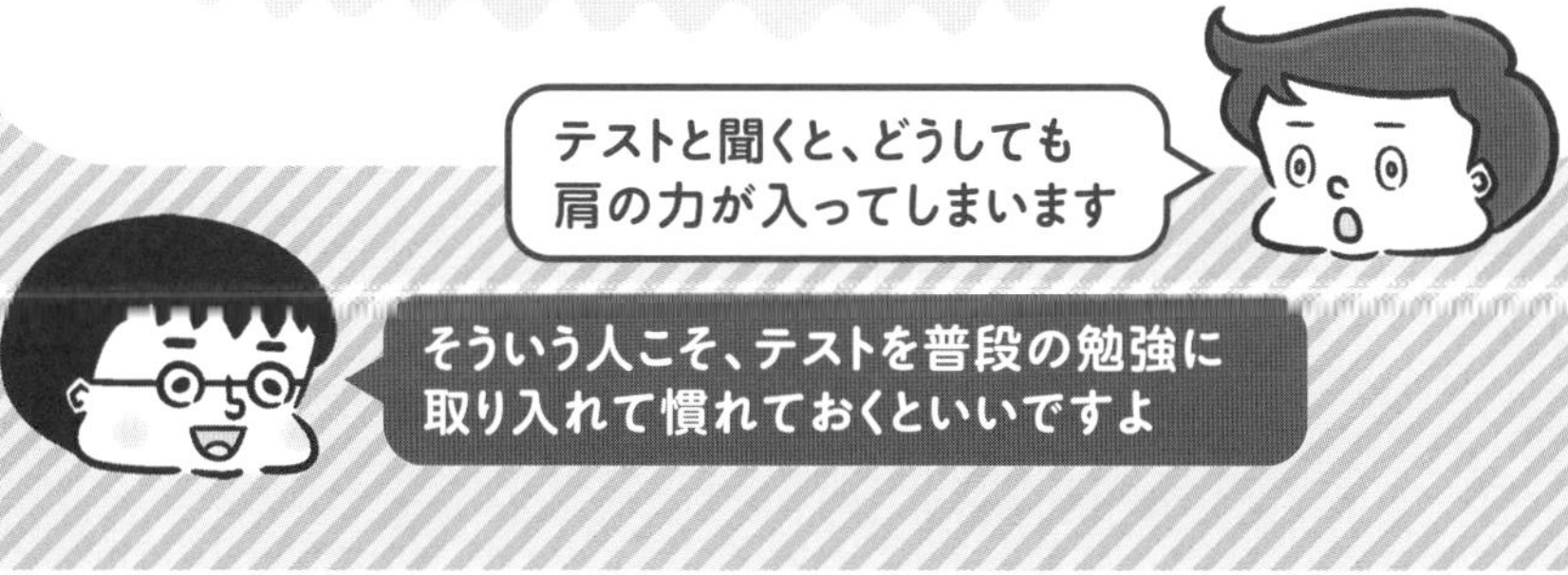
テストと聞くと、どうしても肩の力が入ってしまいます
そういう人こそ、テストを普段の勉強に取り入れて慣れておくといいですよ

CHAPTER 2-7

間違えることで記憶を強化する

ほとんどの人が、間違えることを「悪いことだ」と思っているようです。
でも実は、間違えるのはいいことだらけなんです！

間違えることは悪くない

みなさんのなかには、問題を解くとき、反射的に「間違えてはいけない」と身構えてしまう人もいるかもしれません。でも、間違えるのは当たり前。むしろ、この失敗こそが、記憶を強化してくれます。

いったいどういうことでしょう。

問題を解くためにあれこれ推測することがヒントになることは、すでに紹介しました。

これと同じように、導き出した答えが間違っていた場合には、「間違えてしまった」という経験も、次に思い出すヒントになります。間違えたことが、脳に記憶されるからです。

考える時間を十分に取る

そこで、問題を解くときにはぜひ、次のことに注意してください。

それは、答えがまったく分からなくても、自分なりに考えて、答えを出してみる、ということです。

なにも考えずすぐに答え合わせをしてしまうと、間違える機会を逃すことになります。でも、自分なりに考えて答えを出し、間違える経験をすれば、それは記憶の強化につながります。

大切なのは、間違えないことではなく、間違えてもめげない、気持ちの強さなのです。

チェックポイント

- ☑ 答えを間違えても、失敗した経験が次に思い出すときのヒントになる。
- ☑ 答え合わせは十分に考えたあとに行う。

思い出すヒントを増やそう

迷ったり失敗したりしたこと、また勉強中に飲み物をこぼしてしまったことなども、その情報を思い出すためのヒントになる。ヒントは多ければ多いほど、思い出しやすくなる。

CHAPTER 2-8

繰り返し見ているだけではダメ!?

「出力」の重要性について理解したところで、ちょっとしたクイズにチャレンジしてみましょう！ きっと、理解したことを実感できるはずです。

1円玉の正しい模様

さてここでひと休み。みなさんに、簡単なクイズにチャレンジしてもらいましょう。

まずは、左のページにある7個の1円玉を見てください。1円玉といえば、だれもが毎日のように目にしているはずですよね。

では問題です。この7個のなかで、本当の模様はどれでしょうか？

毎日見ていても忘れてしまう

――いかがでしたか？ 思い出せなかった人がほとんどではないでしょうか。

1円玉なら毎日目にしているはずなのに、正しい模様を思いだせない。1円玉だけではありません。たとえば消火器やＡＥＤ（自動体外式除細動器）は、駅やショッピングモールなど、あちこちに設置されていて、しょっちゅう目にしているはずです。ところが、どこにあったか思い出せる人は、ほとんどいないのです。

なぜでしょう。そう、人はただ見るだけではすぐに忘れてしまうからです。

情報を「入力」するだけでは覚えられない、「出力」することが大事なのだということが、このクイズでもよく分かりますね。

チェックポイント

- **1円玉の模様を思い出せないのは、毎日見ているだけ、つまり入力しているだけだから。**
- **入力するだけではなく、出力することが大事。**

Q1

この7個のなかで、本当の模様はどれでしょうか？

1
令和二年
1
日本国
1
令和二年
1
日本国
1
日本国
令和二年
1
令和二年
日本国
1

Q2

あなたの町で、消火器やAEDはどこに設置されていますか？

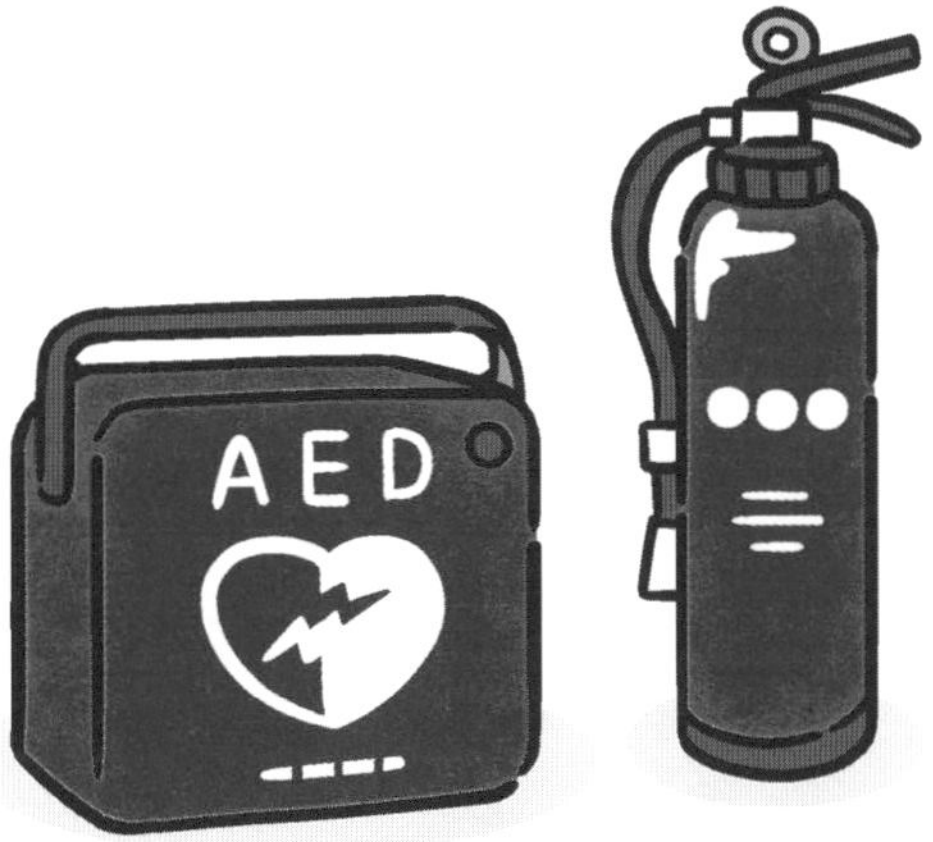
AED

1円玉も消火器も
思い出せませんでした…
見ているだけでは
覚えられないものなんです

Q1の答え……

CHAPTER 2-9

「ツラい」「大変」でしっかり身につく

「効率的な勉強法」はあるけれど「ラクな勉強法」はない。
これが、科学的に裏付けられた現実です。
でも、大変な思いをすれば、必ず結果につながります！

「ラク」より「ツラい」を選ぶ

だれだって「できるだけラクをして覚えたい」「苦労はしたくない」と思ったことがあるでしょう。でも残念ながら、その考え方は間違いです。

ある実験では、きれいにまとめられたテキストを使った人たちより、すこし読みにくいくらいのテキストを使った人たちのほうが、テストで2倍近くも高い点数を取りました。つまり「ラクをするよりも少しツラいくらいのほうが、しっかり身につく」ということがハッキリしたのです。

読み応えのあるテキストを使う、目で読むよりも手で書き写す、答えを見る前にもう一度考える。そのほうが、「ツラい」「大変」なぶん、忘れません。ラクして手にしたことは、すぐに忘れてしまうのです。

「分かった」の錯覚には要注意

ちなみに、テキストに線を引く、ふせんを貼るなどは、あまり意味のない勉強法です。記憶が長持ちしないうえ、勉強した気分になるからです。

こんなふうに「理解できた」「もういつでも思い出せる」という錯覚に陥ることを、心理学では「流暢性《りゅうちょうせい》の幻想」といいます。理解を深めたり、記憶を長持ちさせたりすることはできません。

チェックポイント

- ラクな勉強よりも、「ツラい」「大変」な勉強のほうが、しっかり身につく。
- テキストの再読などをしただけで理解できたような錯覚に陥ることを「流暢性の幻想」という。

読み応えのあるテキストを選ぶ

読みやすいテキストより、読み応えのあるテキストを使う。そのほうがしっかり頭に残る。

目だけでなく手を動かす

覚えたいことは、目で見たり読んだりするだけでなく、手を動かして書いてみると、覚えやすい。

線を引く、ふせんを貼る

ただテキストを読み返して、線を引いたりふせんを貼ったりしても、分かったような気分になるだけ。記憶は長持ちしない。

やっぱり苦労しなくちゃいけないんですね

苦労さえすればだれだって覚えられる！ともいえます

COLUMN
2

勉強がはかどる環境を作ろう！

みなさんは、勉強をする「環境」に気を配っていますか？
せっかくなら、勉強がはかどる環境を作りたいもの。
そこでここでは、集中して気持ちよく勉強できる
環境づくりのポイントを紹介します！

必要なもの以外は片付ける

やるべきことに集中するためには、勉強の妨げになるもの（ディストラクター）を排除することが、とても大事です。

テレビやスマホはスイッチ・オフ。パソコンや仕事道具なども、勉強に使わないものはできるだけ目に入らない場所に片付けましょう。

集中を妨げるものを排除することで、集中力は自然にアップします。

静かすぎない環境を作る

テレビやスマホをつけて「ながら勉強」をするのはいけませんが、実は静かすぎるのも、脳はあまり好きではありません。

いちばんいいのは、雨や風、川の流れなど自然の音。それが難しければ、エアコンや扇風機の音でもいいでしょう。静かだけど少しだけ人の声がする図書館やカフェも、おすすめです。

前のほうの席に座る

講演会や講座などを受講するときは、積極的に前のほうの席に座りましょう。調査では、前方3分の1の生徒のほうがそのほかの生徒よりもテストの点数が高いということが、はっきりと分かっています。

有料の講座を受けるのであれば、前方の席を選ぶほうが「コスパがいい」といえるでしょう。

第3章

だれでもできる！
記憶力アップ勉強法

第2章までを読み終えて、
みなさんはこんなふうに感じているかもしれません。
「結局何度も復習しないと覚えられないのか」
「やっぱり、苦労しないとダメなんだな……」

いいえ、安心してください。
第3章では、勉強の効果を上げる方法を
たくさん紹介していきます。
あなたにぴったりのものが、きっと見つかるはずです！

CHAPTER 3-1

好奇心で記憶力を高める「ワクワク勉強法」

好きなことなら覚えられるのに、勉強となると難しい。
これってどうしてでしょう？
実はここにも、脳のしくみが関係していました。

ワクワクが記憶力を高める

みなさんは、好きなスポーツ選手の名前や食べてみたいスイーツの名前など、自分の趣味のことなら、わざわざ復習などしなくても、覚えられるのではないでしょうか。試験対策の用語や英単語はなかなか覚えられないのに、なぜでしょう。

それは、好奇心を持って、ワクワクしながら覚えるからです。

勉強にも好奇心を！

好奇心を持ってワクワクしていると、脳のなかの海馬が「シータ波」という脳波を出します。シータ波を出しているときに情報が入ってくると、それが初めての情報でも、海馬は「すごく大事だぞ！」と判断します。それで、しっかり記憶されるのです。

このしくみは、勉強にもいかせます。英単語なら、憧れの国で使う場面を想像して、ワクワクしながら覚える。専門知識も同じように、自分がワクワクできることと結びつけて考える。そんなひと工夫で、好奇心を刺激し、記憶力を高めることができるのです。

シータ波の効果は絶大です。脳科学の研究では、なんと80～90％も復習の回数を減らせることが分かっています。

チェックポイント

- ☑ **海馬は、ワクワクしているときにシータ波を出し、そのときに入ってきた情報をしっかり記憶する。**
- ☑ **シータ波を出しながら勉強すれば、復習の回数を80～90％減らすことができる。**

「ワクワク！」でシータ派アップ！

初めてのものに出会ったり、好きなことに没頭したりすると、ワクワクしてシータ波が出る。そんな状態で学ぶと、情報はしっかり記憶され、効率よく勉強できる。

「つまらない」でシータ波ダウン

飽きたりマンネリ化したりすると、シータ波は消えてしまう。「つまらない」「めんどくさい」と思いながら勉強していると、覚えるのに必要な復習の回数が増えるばかりで、効率が悪くなる。

好奇心と記憶の関係、言われてみれば納得です

ぜひワクワクして脳を活性化させてください！

CHAPTER 3-2

感情を動かしながら覚える「思い出勉強法」

思い出って、古い記憶でもよく覚えていますよね。
これには、「感情」が記憶力と関係しているからなのです。
この脳のしくみも、勉強にいかすことができます！

感情と脳の関係

シータ波と同じように記憶力を高めてくれるものが、ほかにもあります。それは「感情」です。

「うれしい」「悲しい」など、わたしたちの感情を生み出すのは、海馬のすぐ隣にある「扁桃体《へんとうたい》」という場所。海馬は、扁桃体から生まれた感情を浴びると、そのときに入ってきた情報をしっかり覚えようとするのです。

みなさんは、人に聞いたことよりも、自分で経験した「思い出」のほうが、よく覚えているのではないでしょうか。それは自分で経験したことで、扁桃体が感情をたくさん生み出したからなのです。

思い出にするつもりで学ぶ

そこで、このしくみを勉強にもいかしましょう。意識的に感情を使いながら学ぶのです。

たとえば複雑な国際情勢を勉強しようとするときは、数値やデータで理解しようとするよりも、人々の感情を想像しながら学ぶ。歴史を勉強するときは、想像をふくらませ、その時代の人になったつもりで学ぶ。

こんなふうに、覚えたいことを自分の「思い出」にするつもりで学ぶと、しっかり覚えることができます。

チェックポイント

- ☑ **感情は海馬の隣にある「扁桃体」から生まれる。海馬は感情を浴びると記憶力を高める。**
- ☑ **勉強するときに意識的に感情を使うと、しっかり覚えることができる。**

感情を動かす！

扁桃体が感情を生み出し、海馬を刺激！記憶力が高まる。

感情を動かさない

扁桃体は働かず、海馬も刺激されない。

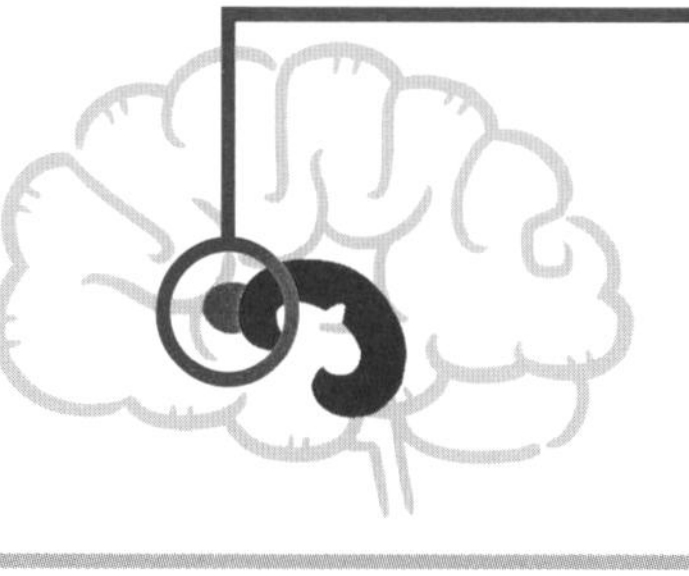

扁桃体

扁桃体は海馬のすぐ横にある。扁桃体が活動すると、海馬だけでなく前頭葉も刺激されて集中力が高まり、いっそう記憶力が高まる。

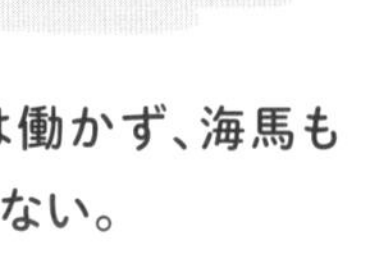

感情移入なら得意です！

いいですね！勉強中も感情を動かして「関心がある」と脳にアピールしてください

CHAPTER 3–3

「ライオン法」で海馬を上手にだます

記憶力をアップする勉強方法は、
野生のライオンからも学ぶことができます。
キーワードは3つ。さっそく見ていきましょう！

ライオンに学ぶ勉強法

さて今度は、厳しい大自然のなかで生き抜くライオンから、勉強法のヒントをもらいましょう。その名も「ライオン法」！　海馬を上手にだまして「命に関わる情報」と思わせるのに役立ちます。

抑えるべき3つのポイント

ライオン法のポイントは3つあります。それは「空腹にする」「歩く」「寒さを感じる」ということです。

❶ 空腹にする

野生のライオンにとって、空腹は餓え死にするかもしれない大変なこと。だから脳は空腹を感じると、記憶力をアップさせます。

❷ 歩く

ライオンは、歩いたり走ったりしながら、命がけで狩りをします。だから歩くだけで、海馬は「命に関わることが起きている」と勘違いします。

❸ 寒さを感じる

冬は、獲物を捕るのが難しく、命が危険にさらされやすい季節。寒さを感じると、海馬は「命が危ない!?」と感じて活発に活動しはじめます。

――こんなふうに海馬に勘違いさせることで、効率よく覚えることができるのです。

チェックポイント

- ☑「ライオン法」を使うことで、記憶力をアップさせることができる。
- ☑ライオン法のポイントは、「空腹にする」「歩く」「寒さを感じる」の3つ。

ポイント①

空腹にする

ぐう
はかどる！
スラ
スラ
スラ
スラ
スラ
スラ

いつでもエサを手に入れられるわけではない野生のライオンにとって、空腹は、命の危機につながる問題。だから、海馬は空腹を感じると活動を活発化させる。なにかを覚えたいなら、食事前が適している。

フム
フム

ポイント②

歩く

野生のライオンにとって、狩りは、生き残るための大切な時間。歩いたり走ったりすると、海馬はそんな狩りの時間と勘違いして、記憶力をアップさせる。電車やバスなど乗り物に乗っていても、効果がある。

ポイント③

寒さを感じる

シャキッ！

寒い冬、ライオンは獲物を捕るのに苦労し、しばしば命の危険にさらされる。寒さを感じると、海馬は活発に活動しはじめ、記憶力も高まる。勉強をする部屋は、少し涼しいくらいがよい。

食事前に、涼しい部屋で、
歩きながら勉強すれば…
カンペキです！

CHAPTER 3-4

「スモールステップ法」で小さな一歩を重ねる

目標が高ければ高いほど、乗り越えるべき壁は高くなり、気持ちばかりが焦ってしまいますよね。
そんなときに試してほしいのが、スモールステップ法です。

レベルや量を小さくしよう

「自分には難しすぎるぞ」
「こんなにたくさん、覚えきれるかしら……」

勉強していると、こんなふうに高すぎる壁が立ちはだかることがあります。みなさんは、どうやって乗り越えますか？　とにかく気合いを入れて取り組む？　それともあきらめてしまうでしょうか。

こんなときにおすすめしたいのが、「スモールステップ法」です。

たとえば、レベルが高いなと思ったら、分かるところから始めて、少しずつレベルアップしていく。量が多すぎるときは、一気にやらずに、小分けにして少しずつやる。こんなふうに、できるところから順番にやっていくのです。

小さな一歩がゴールへの近道

目指すゴールが高いところにあると、つい高度なところから始めたくなるものです。でも、できることから始めて少しずつ難易度を上げていくほうが、実は早くゴールにたどり着けるのです。このことは動物を使った実験でも証明されています。

自分の「できるレベル」「できる量」を見極めて、小さな一歩を積み重ねていきましょう。

チェックポイント

- 高すぎる壁が立ちはだかったときは、スモールステップ法がよい。
- いっきに高いゴールを目指すより、小さな一歩を積み重ねるほうが、早くゴールにたどり着ける。

サルを使った実験

装置のしくみ

1. ときどき画面が点灯する。
2. 画面が点灯しているときにボタンを押す。
3. エサが出てくる。

一度に全部やろうとすると…

サルは、ボタンを押すとときどきエサが出てくることに気付き、ボタンを押し続けた。そのうち、画面の点灯も関係していることに気付いた。しかし「画面の点灯」「ボタン」「エサ」の関連性を正しく理解することはできず、なかなかエサを得られなかった。

ステップを分けて学習すると…

ステップ1 ボタンを押すとエサが出る
ステップ2 画面が点灯したらボタンを押す

この2ステップを順番に学習させたら、スムーズにエサを得られるようになった。

失敗は10分の1に激減！

まずは自分の実力を知ることですね

はい。見栄を張らず客観的に見極めてください

CHAPTER 3-5

大まかに捉えてから細部を理解する

小さなところにとらわれて時間がかかっていませんか？
まず視野を広げて全体像を把握してみてください。
遠回りなようで、細部を理解する助けになります。

勉強の手順を見直す

スモールステップ法で自分に合ったレベルから始めることは大切。でも、「細部にとらわれて、なかなか前に進めない」というのではいけません。それは、ステップの大きさではなく、手順が間違っているのかもしれません。

こんなときは、まず全体を大まかに捉えてみてください。全体を理解してから、少しずつ細分化していくことで、理解がスムーズになります。

まず大まかに捉える

たとえば日本史を学ぶとき、個別の事件から学びはじめると、理解するのも難しく、つい時間をかけてしまいます。

そうならないために、まず最初に、歴史全体の流れをざっくりと把握して、それから各時代へ、1つ1つの事件やできごとへと、勉強を進めていってください。

全体の流れがつかめると、1つ1つの事件が歴史の流れのなかでどんな役割を果たしたのか、ほかの事件とどう違うのか、理解しやすくなるのです。

こんなふうに、まず大まかに捉えて、それから細部を理解するというのも、脳のしくみに合った勉強法の1つです。

チェックポイント

- 細部にとらわれてなかなか前に進めないときは、手順を見直す。
- 大まかにとらえて、それから細部にとりかかると、理解しやすくなる。

細部から始めると…

全体像が見えていないため、流れをつかめず、細部にとらわれてしまう。

織田信長は、ええと
1534年に尾張国で織田
信秀の3男として生まれて、
ときはまだ清洲三奉行ってい
ポジションで、織田大和守家の家
だったと。ふむ、織田大和守家って
れだろ…1555年、信長は
の小田大和守家を滅ぼして、清
城を奪い取ると…ま
尾張か…
いつ天下を取るんだろう

古代
奈良
平安
鎌倉
南北朝 室町
安土・桃山
江戸
近代・現代

織田信長
戦国時代から安土桃山時代の戦国大名。天下人となったが、1582年、本能寺の変で、明智光秀の謀反によって暗殺される。
このあと信長の家来だった秀吉が天下を取っていくんだよね〜

まず大まかに捉えると…

大まかに捉えているので、前後の流れを理解しながら、スムーズに勉強を進めることができる。

木を見る前に森を見る、ということですね

そのとおりです！

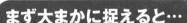

CHAPTER 3-6

得意分野を作って「学習の転移」を起こそう

“1つの分野をマスターすれば、
次の分野はもっとラクにマスターできる”
その理由は、脳科学でひも解くことができました。

学習の転移を起こす

みなさんは、こんな話を聞いたことがあるでしょうか。

「1つの言語を使えるようになった人は、第2、第3の言語もすぐに使えるようになる。」

これは実際にあることです。

こんなふうに、1つの分野をマスターすると第2、第3の分野が比較的早くマスターできるようになるというのも、脳の特徴の1つです。これを「学習の転移」といいます。

方法記憶で効率アップ

26ページで紹介した「方法記憶」を覚えていますか？ 方法や考え方を体で覚える記憶でしたね。

「学習の転移」は、脳が「方法記憶」を使うことで起こります。1つ目の分野をマスターしたときに習得した「理解のしかた」や「考え方」を使って、第2の分野をより早く、効率的に勉強できるようになります。

このしくみをうまく利用するには、あれこれ同時に習得していくのではなく、まず1つ「これだけはだれにも負けない！」という得意分野を作ることです。そうすれば、ほかの分野も効率的に学ぶことができます。

チェックポイント

- **1つの分野をマスターすると、別の分野が比較的早くマスターできるようになる。**
- **「理解のしかた」や「考え方」を再利用することで、勉強の効果を上げることができる。これを「学習の転移」という。**

勉強時間と習得度の関係

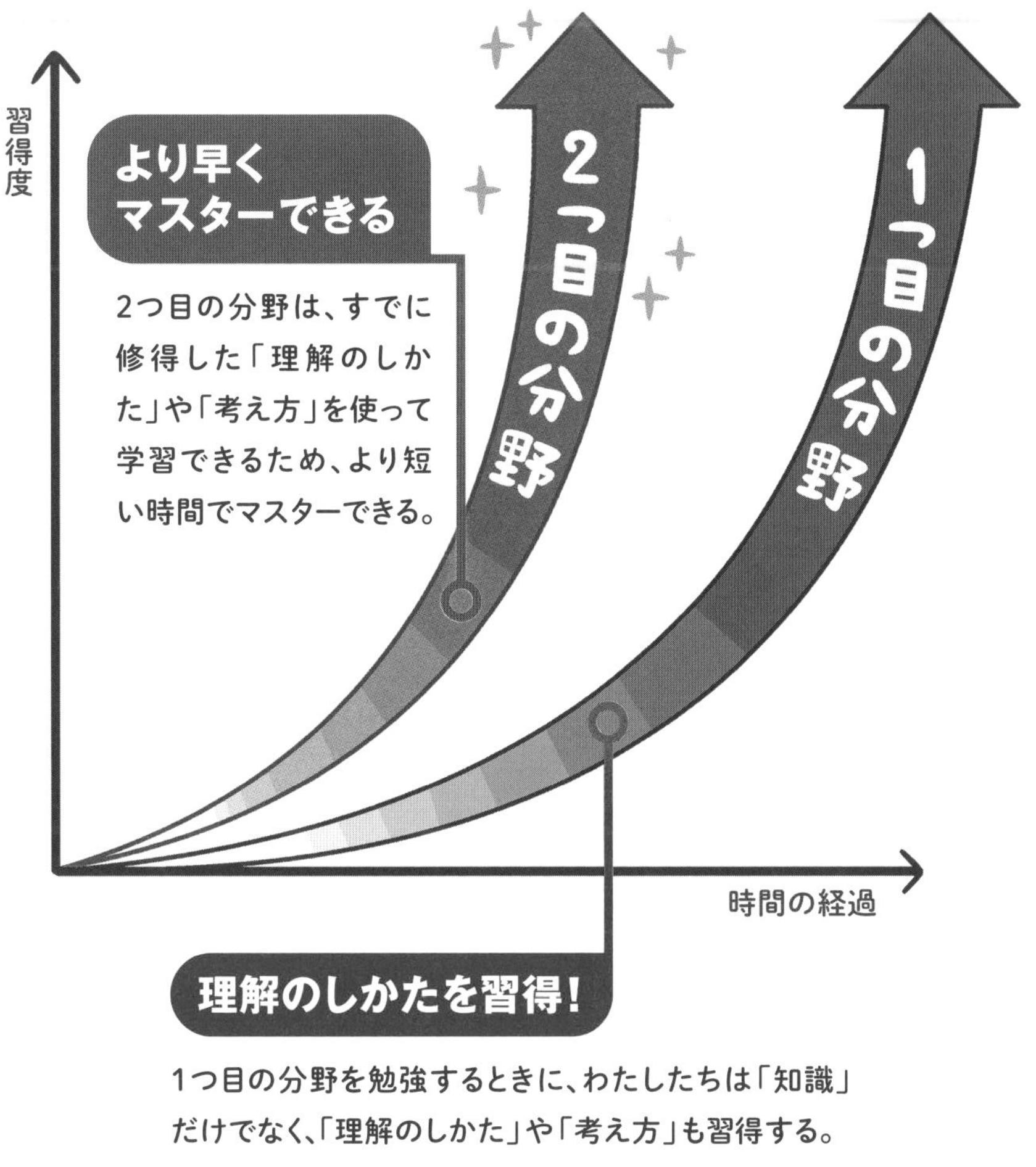
習得度
時間の経過
2つ目の分野
1つ目の分野
より早くマスターできる
2つ目の分野は、すでに修得した「理解のしかた」や「考え方」を使って学習できるため、より短い時間でマスターできる。
理解のしかたを習得！
1つ目の分野を勉強するときに、わたしたちは「知識」だけでなく、「理解のしかた」や「考え方」も習得する。

先が楽しみになってきました！
脳は、使えば使うほど性能が上がっていくんです！

CHAPTER 3-7 「分かった」の手前でやめる「交互学習」

「やりきりたい」「もっと知りたい！」というのは、
脳がもともと持っている欲求です。
この欲求を高いまま保って、勉強の効率を上げましょう！

脳が持っている欲求

左ページを見てください。ブルーマ・ツァイガルニクという心理学者が発表した、ある実験結果です。

脳は、最後までやりきった作業よりも、途中でやめた作業をよく覚えていました。これは、脳には「最後までやりきりたい」という強い欲求があることを、示しています。

こんな脳の特徴を、ぜひ勉強にもいかしましょう。

交互学習で効率アップ

たとえばみなさんが、複数の科目を勉強しなくてはいけないとします。ふつうなら、1つの科目をやりきってから次へ行く、というように、「分かった！」「やりきった！」という気持ちよさを味わってから、次の科目に進みますよね。

でも、「分かった！」という気持ちよさを味わうと、脳の「もっと知りたい」という欲求が満足してしまい、学習意欲が落ちてしまいます。ですから、そうならないよう、わざと「少しやり足りないな」というところで次の科目に進むのです。

この勉強法を「交互学習」といいます。脳の欲求を高く保つことができるので、同じ時間をかけて勉強しても、効果がアップするのです。

チェックポイント

- **脳には「最後までやりきりたい、完成させたい」という強い欲求がある。**
- **1つの勉強をやりきる前に次の勉強に進む方法を「交互学習」といい、脳の欲求をキープすることができる。**

ブルーマ・ツァイガルニクの実験

1

被験者に、「箱を組み立てる」「粘土で工作する」などの簡単な仕事をたくさんしてもらった。

2

それらの仕事のうちのいくつかは、途中でやめてもらい、次の仕事に移ってもらった。

3

最後に、被験者にやった仕事を全部思い出してもらった。被験者たちが覚えていたのは、途中でやめた仕事ばかりだった。

結論 **人は、最後までやりきれなかったことのほうを、やりきれたことよりもよく覚えている。**

脳のハングリー精神を刺激するわけですね

はい、学びへの高い意欲をキープできます

CHAPTER 3-8

耳から入れて覚える「ウサギ勉強法」

ふつう、勉強でよく使うのは「目」ですが、実はもっと使ってほしい器官があります。ヒントは、動物の進化にありました。

目よりも耳を使おう

テキストを読んだり、ノートをまとめたりと、みなさんが勉強するときにもっともよく使う体の器官は「目」ですよね。でも実は「目」よりも「耳」を使うほうが、よく覚えられます。

どうしてでしょう。そのわけは、動物の進化をたどると分かります。

動物は、大昔からずっと、目よりも耳をたくさん使って生きてきました。だから脳は、目から入った情報よりも、耳から入った情報を覚えておくほうが得意なのです。

進化の歴史のなかでは、目が発達してよく見えるようになったのは、耳にくらべるとまだつい最近のこと。目を使うようになったいまのわたしたちの脳にも、この性質が残っているのです。

情報を耳から入れる方法

そこで紹介したいのが、「ウサギ勉強法」です。

たとえば、覚えたいことは何度も声に出して、自分に聞こえるように読む。オーディオブックや、音声の出る動画などを活用する。録音したものを繰り返し聞いて覚えるなど。方法は、自分に合ったものを取り入れればOKです。とにかく、覚えたいことを音として、耳から入れるようにしてください。

チェックポイント

- 脳は、目から入った情報よりも、耳から入った情報を覚えておくほうが得意。
- 声に出して読むなど、覚えたいことを音として耳から入れるのがよい。

声に出して読む

覚えておきたい大事なポイントは、自分に聞こえるくらいの声で何度も繰り返し音読する。

人に説明する

人に説明するのは、覚えたことを思い出すのに役立つだけではなく、口を動かしたり、自分の声を耳で聞いたりするのにも役立つ。

自分の声を録音する

あらかじめ録音しておいたものをイヤホンで聞く方法なら、通勤電車やカフェなど、声を出しにくい場所でもOK。

オーディオブックを活用する

オーディオブックなど音の出る教材があれば、そういうものを活用するのも効果的。

声が出しにくい場所でもできることはいろいろありますね

工夫しながら、自分に合った方法を見つけてください

CHAPTER 3-9 こんな勉強法もある! その1
①語呂合わせ法 ②接頭語法

脳のしくみに合った勉強法は、まだまだあります!
自分の勉強スタイルに合わせて、活用してください。
効率よく勉強して、一歩リードを!

これまで紹介した勉強法のほかにも、いろいろな勉強法があります。いわゆる受験テクニックとして、すでに知っているものもあるかもしれません。

いずれも効果的な勉強法なので、自分に合ったものがあれば、積極的に取り入れましょう。

❶ 語呂合わせ法

覚えたい数字や言葉を、文のなかに入れ込む覚え方を、語呂合わせといいます。「鳴くよ(794)ウグイス平安京」などは、代表的な語呂合わせのひとつ。歴史の年号や電話番号などを覚えるのによく使われます。

語呂合わせを自分で考えるときは、内容に合った文にするのがコツです。覚えたいことを文のイメージと結びつけることで、思い出しやすくなるのです。

英単語を覚えるときは、意味や用例とからめて語呂合わせをすると、覚えやすくなります。

❷ 接頭語法

アクロニウム法とも呼ばれるこの方法は、元素記号を覚えるときに使った人も多いのではないでしょうか。「水兵リーべぼくの船(H He Li Be B C N O F Ne)」と覚えた、アレです。

覚えたい言葉の最初の文字を並べて、文を作ります。長く連なった記号や文字を覚えるのによく使います。リズムがよくて、文に意味があると覚えやすいです。

チェックポイント

- ☑ 語呂合わせ法は、覚えたいことを文のイメージと結びつけることで、思い出しやすくなる。
- ☑ 接頭語法は、リズムがよく、文に意味があると覚えやすい。

1 語呂合わせ法

覚えたい数字や言葉を、文のなかに入れ込む覚え方。

「犬のケンが小屋で寝る」
ケン
だから「犬小屋」は
『kennel(ケンネル)』

「そおっと仕分ける」
そおーーーーっと
「仕分ける」は『sort(ソート)』

コツ
- 内容に合った文にする。
- 英単語を覚えるときは、意味や用例とからめて語呂合わせをする。

2 接頭語法

覚えたい言葉の最初の文字を並べて文を作る。

長さが（長崎県、佐賀県）
宮殿！（宮崎県）
熊、カゴ、大福
（熊本県）（鹿児島県）（大分県、福岡県）
ズンチャ
ズンチャ

コツ
- リズムのよい文にする。
- 文に意味があるとより覚えやすい。

小手先のテクニックと思って軽く見ていました

実は、脳科学的にも効果があると分かっているんです

CHAPTER 3-10 こんな勉強法もある！ その2
③イラスト視覚法 ④チャンキング法 ⑤連合記憶法

子どものころに使ったなつかしい勉強法が、
意外と脳のしくみに合っているのが、分かってきましたね。
うまく取り入れて、勉強効率を上げましょう！

効果的な勉強法、まだまだあるので紹介を続けます！

❸ イラスト視覚法

「ブーツの形の国は、イタリア」というふうに、覚えたいものの形を、別のものに見立てる覚え方です。向きや見方を工夫して、どんなものに似ているか、楽しみながら考えてみましょう。

❹ チャンキング法

覚えたいものを切ったり分けたりして、小さなかたまりにする覚え方です。

11個の数字でできている電話番号はハイフンで区切って覚える。込み入った漢字は部首ごとに分けて覚える。こんなふうに切り分けることで、覚えやすくなります。

❺ 連合記憶法

体のパーツ（おでこ↓目↓鼻↓口↓首↓…）や、家から駅までの道のり（玄関↓ポスト↓信号↓…）など、身近なものに覚えたい言葉をくっつける方法。身近なものを思い浮かべると、くっつけた言葉を思い出せます。

たくさんのことを順番通りに覚えたいときに役立ちます。

――いかがでしたか？ このようなテクニックをどんどん使って、効率的に勉強を進めましょう！

チェックポイント

- ☑ **イラスト視覚法は、覚えたいものの形を別のなにかに見立てて覚える方法。**
- ☑ **チャンキング法は、1つのものを小さく区切って覚えやすくする方法。**
- ☑ **連合記憶法は、たくさんのことを順番通りに覚えたいときに役立つ。**

3 イラスト視覚法

覚えたいものの形を、別のものに見立てる覚え方。

コツ

●向きや見方を工夫して、自由な発想で！

山形県って人の顔みたい！
わははは

ケケ
龍
「竹」と「龍」で「籠(カゴ)」

4 チャンキング法

覚えたいものを切ったり分けたりして、小さなかたまりにする覚え方。

コツ

●全体の構造を理解しながら区切る。

5 連合記憶法

体のパーツや、家から駅までの道のりなど、身近なものに覚えたい言葉をくっつける方法。

コツ

●覚えることが多い場合は、地図を広げて対応する。

松方正義
○○駅
山縣有朋
伊藤博文
黒田清隆

いろいろ使えると勉強が楽しくなりそうですね
ワクワクしながらできれば効果はさらに上がります

COLUMN
3

仲間を作って モチベーションをキープ!

仲間を作ること。それは、モチベーションを高く保ってがんばり続けるのに、とても役立ちます。

脳は、だれかに指示されるよりも仲間に言われたことを大切にするようにできているからです。

そこでここでは、仲間づくりについてのポイントを、いくつか紹介しましょう!

やりたいことが違ってもOK

仲間は、やりたいことが違っても「毎日やる」という目標さえ一致していれば大丈夫。

たとえば自分は勉強を続けたい、相手はギターを続けたい、という場合でも、「毎日やる」を共有できれば、モチベーションを高めあう仲間になれます。

積極的にほめる

どんなささいなことでもいいので、お互いに相手のよいところを見つけて、言葉にして伝えあってください。ほめてもらえると、安心感が生まれ、前向きな気持ちになれるものです。

ただし、ほめられることに満足してしまわないように、ときどきテストを受けるなどして、自分の力を客観的に捉えることも、忘れないようにしてください。

信頼できる仲間を選ぶ

仲間を作るのはよいことですが、簡単にあきらめるタイプの相手ではいけません。

「今日はやめた」「じゃあ自分も…」と、やらない同士の馴れあいになってしまうのでは本末転倒。一人でやったほうがマシだった、ということにもなりかねません。

信頼できる仲間を慎重に選びましょう。

「やったよ!」を共有

毎日必ず行ってほしいのが、「やったよ!」の報告です。

どうしてもできない日があっても、仲間から「やったよ!」と報告を受けると「自分も明日はやるぞ!」と励みになるものです。

また、自分の「やったよ!」が相手の励みになると感じることで、自分自身のモチベーションも高まり、よい循環が生まれます。

第 4 章

眠るのも勉強!?
睡眠と記憶のフシギ

「勉強をするために、睡眠時間を減らしている」

そんな声を聞くことが、よくあります。

でも、眠りをサボるのは逆効果。

かえって勉強の効率が落ちてしまいます。

そう、眠りと勉強には、深い関係があるのです。

そこで第4章では、眠っているときに脳でなにが起きているのか、
またその性質をどう利用すれば効率よく勉強できるのかを、
詳しく紹介していきます。

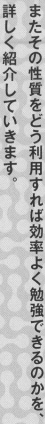

CHAPTER 4-1

夢を見るのは海馬が活躍している証拠

夜、わたしたちはたくさんの夢を見ます。そしてそのあいだに、脳のなかではとてもいいことが起きていのです。

眠っているあいだに情報を整理

だれでも、眠っているときには夢を見ます。その量は膨大！　なんと、朝起きたときに覚えている量の１００倍にもなります。

夢を見るのは、わたしたちが眠っているあいだに、脳のなかの海馬が一生懸命働いているからです。

海馬は、わたしたちが眠っているあいだに、脳に入ってきたばかりで散らかったままになっている情報を、見直してきちんと整理します。わたしたちが、必要なときに必要な情報をさっと取り出す（思い出す）ためには、机の引き出しや洋服ダンスと同じように、脳のなかできちんと整理してしまっておく必要があるからです。

わたしたちが見ている夢は、脳が見直している記憶なのです。

勉強したあとは眠る！

もし、眠らないでずっと勉強し続けたら、どうなるでしょう。海馬は、情報を整理する時間を持てなくなってしまいます。するとわたしたちは、必要なときに必要な情報を思い出すことができません。

勉強したあとはしっかり眠りましょう。眠るだけで、必要な情報を思い出せるようになるのですから！

チェックポイント

- ☑ **眠っているあいだに海馬が情報を整理し、必要なときにサッと思い出せるようにしてくれる。**
- ☑ **もし眠らないと、情報は整理されず、必要なときに思い出せなくなってしまう。**

情報
整理、整理
馬くん
脳に入ってきた情報

勉強したあと眠ると…

わたしたちが眠っているあいだに、海馬は、その日に脳に入ってきた情報を整理する。

Z Z Z Z

よしっ覚えてる!
ギュッ

必要なときにサッと思い出せる!

海馬が情報を整理してくれると、わたしたちはその情報を、必要なときにサッと取り出せるようになる。

眠ることが勉強の役に立つんですね

はい。眠ることも勉強のうちと考えましょう!

CHAPTER 4-2

眠って記憶を育てる「レミニセンス効果」

ある日突然、できなかったことができるようになる。
分からなかったことが分かるようになる。
こんな現象も、眠りと脳が関係していたのです。

レミニセンス効果とは

「どうしても解けなかった計算問題が、何日かしたら急に分かった！」「ピアノでどうしても弾けなかったところが、ひと晩寝たら弾けるようになった！」

——みなさんは、そういう経験をしたことがありませんか？

実はそれも、眠りと夢のおかげです。眠っているあいだに、海馬が、考えたことを整理したり、指の動かし方を見直したりするので、目が覚めると、「分かった！」「できた！」にたどり着けるというわけです。

このように、眠るだけで、できなかったことができるようになることを「レミニセンス効果」といいます。頭のなかに入れた情報は、しばらく寝かせておくことでレベルアップするのです。

眠りの力で前へ進む

これは言いかえれば、「難しい問題を解いたり、練習の成果を十分に出したりするためには、睡眠をはさむ必要がある」ということです。

ですから、がんばってもうまくいかない！　というときは、思いきって寝てしまうことをおすすめします。レミニセンス効果を上手に利用すれば、きっとうまくやれるようになるはずです！

チェックポイント

- 眠っているあいだに海馬が働いて、できなかったことができるようになることを「レミニセンス効果」という。
- 壁にぶつかったら、思いきって寝てしまうことで、成果につながることがある。

1 できない…

難しいピアノ曲を弾きこなしたい。ところが、何度練習しても、同じところでミスをしてしまう。

2 眠る

3 できる!

夢のなかで、海馬が指の動きを確認! ある朝目が覚めたら、うまく弾けるようになっていた!

学んだことは、少し熟成させるのがいいんですね

そう、ワインと同じです!

CHAPTER 4-3

「分散学習」でコツコツ学ぼう

「勉強は一気にやるより、毎日コツコツやるほうがいい」
実はこれには脳科学的な裏付けがあります。
カギになるのは、やっぱり脳と眠りの関係です。

分散学習と集中学習

1週間後に大事なテストがあるとしましょう。みなさんは、1週間前からコツコツ勉強しますか？ それとも、前日に一気にまとめてやるでしょうか。

脳科学では、少しずつコツコツ勉強することを「分散学習」、一気にまとめてやることを「集中学習」といいます。

どちらのほうが、よい点数が取れるでしょうか。

忘れるスピードに差が出る

答えは、どちらも取れる点数はだいたい同じ。1回だけのテストであれば、どちらのやり方で勉強しても、結果はあまり変わりません。

ところが、次の日にもう一度同じテストをすると、結果に大きな違いが現れます。コツコツやったほうがよい点数を取れるのです。これは、分散学習のほうが、集中学習より忘れるスピードが遅いことを示しています。

なぜでしょう。それは、分散学習なら途中で何度も睡眠を取れるからです。寝ている間に海馬が情報を整理してくれるのです。

せっかく覚えたことは、忘れたくないですよね。それなら勉強は「コツコツ」がおすすめです。

チェックポイント

- 毎日少しずつコツコツ勉強することを「分散学習」、一気にまとめて勉強することを「集中学習」という。
- 分散学習は、あいだに睡眠をはさむので、勉強したことを忘れにくい。

一気に! 集中学習

コツコツ! 分散学習

1週間前
前日
テスト前日、一気に猛勉強
ウォー
一週間、毎日1時間勉強
カキ
カキ
カキ
カキ
テスト当日
90
90
次の日再テスト!
40
な、なんで!?
ホッ
85

前日に7時間、一気に勉強した場合。海馬は、大量の情報を整理する時間が十分に取れない。そのため、せっかく勉強してもすぐに忘れてしまう。

1週間、毎日1時間ずつ勉強を続けた場合。眠るたびに海馬が情報を整理してくれるので、記憶が長持ちする。

合計の勉強時間が同じでも
結果は変わってしまうんですね
そう、せっかくやるなら
コツコツやりましょう!

CHAPTER 4-4

覚える勉強は夜寝る前にやろう

勉強する時間帯を、「自分が朝型か、夜型か」で決めてしまっていませんか？　でも本当は、「勉強する内容」で決めるほうが効果的なんです。

時間帯に合った勉強を

朝早く起きて勉強する人を「朝型」、夜寝るまえに勉強する人を「夜型」といいますが、みなさんはどちらのタイプでしょうか？

実は、朝と夜では頭の働き方が違います。だから、朝やるか夜やるかは、勉強の内容で決めたほうがいいのです。

寝る前にやるべき勉強

英単語や専門用語の暗記など、「覚える」勉強をするなら、夜がおすすめです。就寝の1～2時間前は、「覚える」勉強のゴールデンアワー。なぜなら、すぐに就寝時間がきて、覚えたことを海馬が整理してくれるからです。

ただし、寝る直前までやるのがよいわけではありません。脳が興奮してうまく眠れなくなるからです。寝る前に、少しクールダウンの時間を持つことも忘れないようにしましょう。

朝やるべき勉強

反対に、覚える勉強を朝やると、夜寝るまでにいろいろなものを見たり聞いたりしてしまうため、せっかく覚えたことがそれらの情報に埋もれてしまいます。朝は、「覚える」勉強よりも、「考える」勉強に当てましょう。

チェックポイント

- ☑ **朝と夜では頭の働き方が違う。それぞれにふさわしい勉強の内容がある。**
- ☑ **夜は「覚える」勉強、朝は「考える」勉強が、脳のしくみに合っている。**

え〜っと え〜っと
海馬くん

朝覚えると

勉強のあと仕事をしたり、人と会話をしたり……。夜寝るまでに、たくさんの情報が入ってきてしまうため、朝覚えた情報は埋もれてしまう。

カチャ カチャ
ペチャ クチャ
うんうん
そう なんだー
チュン チュン

くん
English

夜覚えると

夜覚える勉強をすれば、眠る時間がすぐにくる。海馬は、勉強したことを脳のなかにしっかり整理してくれる。

時間帯によって
合う勉強があるんですね

知っておくと
勉強の効率が上がります

CHAPTER 4–5

時間帯に合った勉強スケジュールを作ろう

「勉強のタイムスケジュール」を作っておくことは、
勉強の効率をアップさせるのにとても役立ちます。
さて、あなたはどんなタイムスケジュールを作りますか?

時間帯と勉強の内容

さてここで、1日の勉強スケジュールを作ってみましょう! まずは、どの時間帯にどんな勉強をすればよいか、おさらいです。

● 寝る前は「覚える」勉強

就寝の1~2時間前は、「覚える」勉強のゴールデンアワーでしたね。なぜなら、すぐに就寝時間がきて、覚えたことを海馬が整理してくれるから。この時間帯は、英単語や専門用語の暗記などに当てましょう。

● 朝は「考える」勉強

朝は「考える」勉強に当てるのがよいと紹介しました。よく眠ったあとで、頭もスッキリしているはず。計算や読書、執筆作業などに向いています。

● 食事前も勉強タイム

「ライオン法」で紹介したように、食事前のお腹が空いている時間も、海馬がしっかり働いてくれます。積極的に勉強時間に当てましょう。

自分に合うスケジュールを

左のページで紹介したのは、スケジュールの一例です。生活スタイルや勉強の内容、ペースは人それぞれ。自分に合ったスケジュールを作って、それを毎日のルーティーンにしていきましょう!

チェックポイント

- ☑ **1日のなかの時間帯と、それぞれに合った勉強を組み合わせて、スケジュールを作る。**
- ☑ **自分に合った勉強スケジュールをルーティーンにする。**

勉強スケジュールの例

食後

満腹になったら、勉強をひと休み。趣味や家族との時間を充実させましょう。

寝る前

就寝の1～2時間前は「覚える」勉強のゴールデンアワー。暗記モノはここでしっかり！

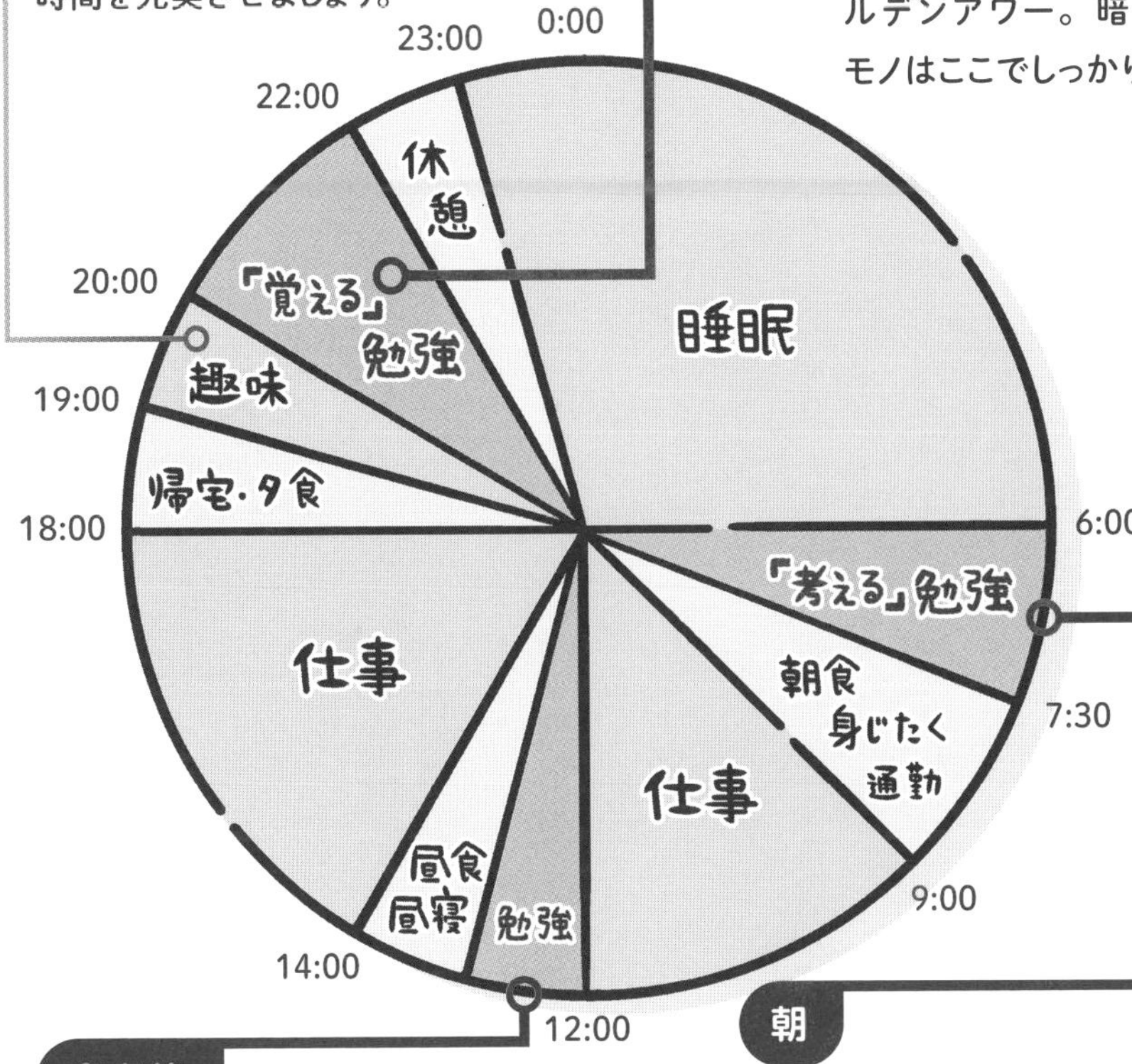
0:00
23:00
22:00
休憩
20:00
「覚える」勉強
趣味
19:00
帰宅・夕食
18:00
睡眠
6:00
「考える」勉強
朝食
身じたく
通勤
7:30
仕事
9:00
仕事
昼食
昼寝
勉強
14:00
12:00

朝

午前中は、計算や読書、執筆作業など、「考える」勉強が向いている。

食事前

食事前は積極的に勉強を。食後に昼寝の時間が取れると、「覚える」勉強も効率アップ！

あとはこのスケジュールを実践すれば…
成績アップ、間違いなし！

CHAPTER 4-6

時差ボケが記憶力ダウンにつながる!?

時差ボケには記憶力と深い関係がある、ということを知っていますか? そして時差ボケのような現象は、わたしたちの普段の生活でも、起きているかもしれません。

時差ボケとバイオリズム

みなさんは「時差ボケ」を経験したことがありますか? 時差のある国へ行くと、その国の時間に合わせて活動することになります。そんなとき、生活のリズムが急に変わるため、体の調子が悪くなってしまいます。これが「時差ボケ」です。

人の体にはもともとバイオリズムがあって、体の細胞がそれぞれ決まった時間に活動をしています。バイオリズムは脳のなかでコントロールされていますが、急な変化、つまり「時差」にはうまく対応できないのです。

実は、時差ボケになると、体の調子が狂うだけでなく、海馬の体積が減り、記憶力が低下してしまうことが分かっています。

時差ボケで記憶力ダウン!?

「海外旅行なんか行かないから、自分とは関係ない」と思ったら大間違い。実はこれ、休日の過ごし方とも関係します。仕事が休みだからといって朝寝坊をするのは、自分で「時差ボケ」の状態を作っているのと同じ。脳は、朝寝坊のたびにダメージを受けているのです。

朝起きる時間は、いつも一定に保ってください。「もっと寝たい!」と思ったら、昼寝で補いましょう。

チェックポイント

- ☑ 時差ボケになると記憶力が低下する。
- ☑ 朝寝坊は、自分で時差ボケの状態を作るようなもの。起床時間は一定に保つのがよい。

1

普段の習慣が体のリズムになる

毎日決まった時間に起床することで、それがその人の体のリズムになる。

普段の朝
チュンチュン
海馬くん

昼
朝

休日の朝
ボー

2

休日だけ寝坊すると「時差ボケ」が起きる

週末だけ朝寝坊をする、夜ふかしをするなど、生活のリズムが急に変わると、脳はその変化に対応できない。「時差ボケ」のような状態になることで、海馬の体積は減り、記憶力が低下してしまう。

時差ボケの起きにくいバイオリズムを作らなくちゃ

キラン
はい、それが脳の細胞をムダにしない秘訣です

COLUMN
4

テストの前に心配なことを書き出そう!

「せっかく勉強したのに、テスト本番で思い出せなかった」――これは、不安や緊張が脳の働きを悪くしてしまうため。
そこで、不安や緊張をやわらげる方法を紹介します!
ぜひ、実力を思う存分発揮しましょう!

方法

テストの不安を紙に書く

テストで不安や緊張をやわらげる方法、それは「不安を紙に書く」ということ。たったこれだけです。

「復習不足で覚えきれなかった」「苦手なところが出題さたらどうしよう」というように、できるだけ具体的に書きましょう。

人は、見えないものがいちばん怖いのです。だから、不安を文字にして目に見える形にすると、不安が消えて安心できます。不安が消えれば、脳の働きはよくなり、点数アップにつながります。

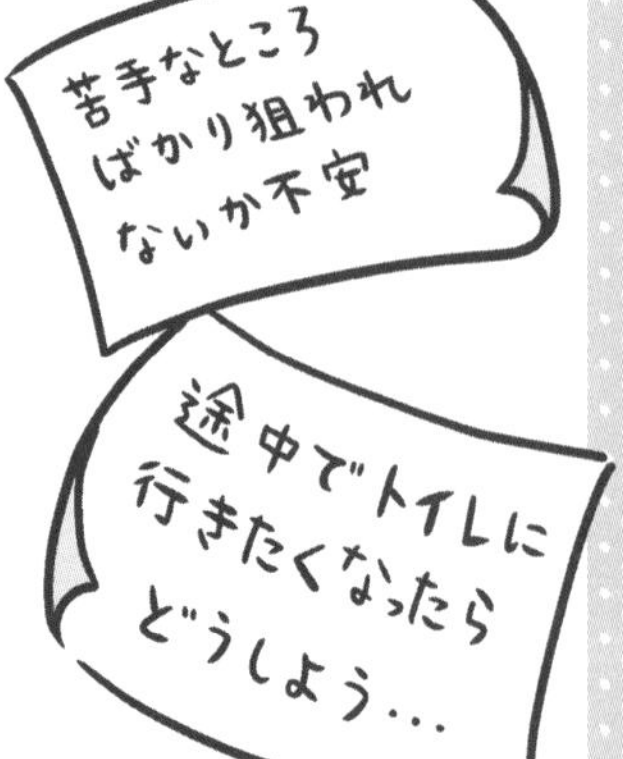
苦手なところばかり狙われないか不安
途中でトイレに行きたくなったらどうしよう…

復習の回数が少なかったかもしれない…

注意点

関係ないことは書かない

不安を紙に書くときに、注意してほしいことがあります。それは、テストと関係ない心配ごとは書かないこと。

不安や心配ごとを思い出そうとするうちに「昨日、上司を怒らせてしまったんだよなあ」「そういえば、あんな失敗したんだった」と、関係ないことが思い浮かぶかもしれません。でも、やみくもに書いても、効果はありません。あくまでも、テストについての不安を書きましょう。

また、「テストが終わったら○○をするぞ！」というようなポジティブなことを書いても、効果はありません。

効果

1日中効果あり！

テストの日の朝書けば、1日中効果が持続します。7週間後まで効果が続いたという研究結果もあります。テスト当日の朝に時間が取れないのであれば、前日の夜に書いてもよいでしょう。

付録

やる気をコントロールして勉強を続けよう!

ここまで、効果的な勉強法を
たくさん紹介してきました。
みなさんも、日々の勉強の効率を
アップさせる方法を、
見つけることができたのではないでしょうか。

でも、どんなにすぐれた方法も、
続けられなくては、意味がありません。
そこで最後に、「やる気」について紹介します。
やる気をコントロールして勉強を続け、
ぜひ、自分の将来を変えていってください!

CHAPTER F-1

「やる気」は知能を構成する重要な要素

どんなに効果的な勉強法を知っていても、
やる気がなければ意味がありません。
でも、そもそも「やる気」っていったいなんなのでしょうか?

「やる気」ってなに?

やる気がみなぎって勉強がはかどる日もあれば、いまいちやる気になれなくて勉強が進まない日もありますよね。

やる気があるかないかで、勉強の進み具合や成果は大きく変わります。やる気をコントロールできれば、将来を変えられるかもしれません。

でも、この「やる気」とは、いったい何なのでしょうか。

知能を構成する要素

人間の知能を解明し世界で初めてIQテストを開発した心理学者、アルフレッド・ビネーは、こう言いました。

「人間の知能というのは、3つの要素からなっている。それは論理力、言語力、そして『やる気(熱意)』である」

論理力とはものごとを論理的に考える数学的な能力、言語力とは考えたことを言葉で伝える国語的な能力、そしてやる気とは、この2つの能力を使おうとする意志のこと。やる気は、知能を構成する3つの要素の1つであり、やる気がなければ、ほかの2つの要素も十分活用できないのです。

算数や国語と違って、「やる気」は点数を付けられることがありません。そのため「見えない学力」といわれることもあります。

チェックポイント

- **「やる気」とは、知能を構成する3つの要素の1つ。**
- **「やる気」があることで、ほかの要素である「理論力」と「言語力」もしっかり活用できる。**

ネズミを使った実験

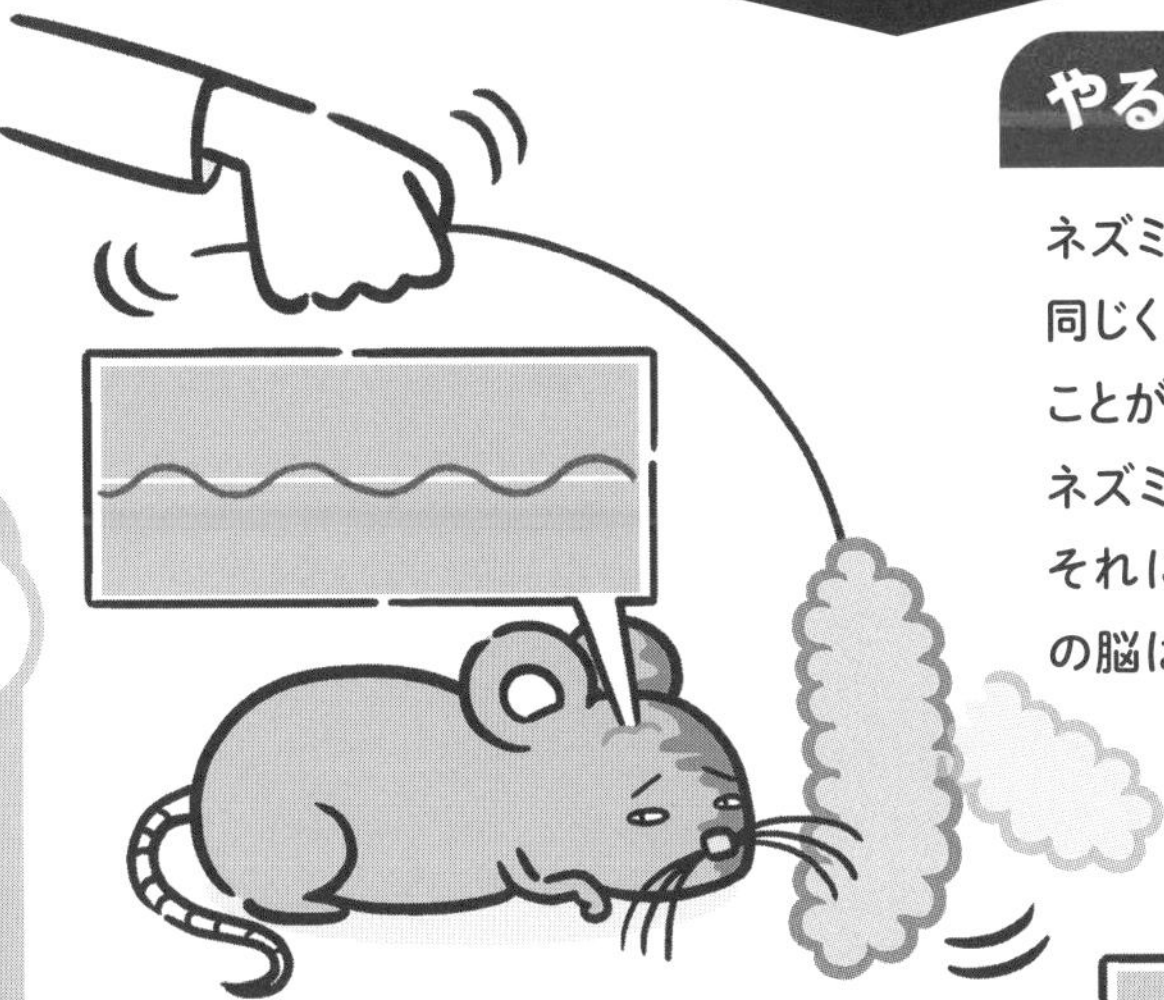

やる気のないネズミ

ネズミのひげは、人間の人差し指と同じくらい敏感に、脳に刺激を送ることができる。ところが、こちらからネズミに物を近づけて触らせても、それに興味をもっていないネズミの脳はあまり反応しなかった。

やる気のあるネズミ

ネズミが自分から興味を持って触った場合、こちらから近づけたときにくらべて、脳は、約10倍も活発に反応した。

やる気ってすごく
大切なものなんですね

はい！ やる気があるかないかで
結果は大きく変わります

CHAPTER F-2

「やる気」は待つのではなく自分から迎えに行こう

いつまで待っていても、なかなか出てこない「やる気」。
いったいどうすればやってくるのでしょうか。
自分で生み出すことはできるのでしょうか？

やる気は待つしかない？

「なんだか今日はやる気が起きないなあ」ということ、だれにでもありますよね。

では、どんなにすごい暗記スキルを知っていても、完璧なスケジュールを立てても、わたしたちはやる気が起きるのを待つしかないのでしょうか？

それは違います。

やる気は、「待つ」ものではなく、自分で「迎えに行く」ものなのです。

やる気は自分から迎えに行く

やる気は、脳の真ん中あたりにある「側坐核《そくざかく》」というところで作られます。

側坐核は、待っていても働いてくれません。「４つのスイッチ」を使ってこちらから刺激することで、初めて働き出すのです。

４つのスイッチの詳しい内容については、あとで紹介します。ここでは「やる気が起きないのは当たり前。自分から迎えに行かなくては、側坐核は働かない」ということを、しっかり覚えておいてください。

「やる気が起きない」は、取りかかることができない人の言い訳です。やる気は、待つのではなく、自分から迎えに行くのが大切なのです。

チェックポイント

- やる気は脳のなかの「側坐核」というところで作られる。
- 側坐核は、こちらから刺激することで、初めて働き出す。
- やる気は、待つのではなく自分から迎えに行かなくてはいけない。

やる気を待つと…

ただゴロゴロして「やる気」を待っていても、側坐核は働かない。やる気は、向こうからやってきてはくれない。

やる気を迎えに行くと…

まずはやるべきことに取りかかる。すると側坐核が働いて、10分くらいするとやる気が出てくる。

どうりで、いつまで待ってもやる気が起きなかったわけね…

こちらから迎えに行かなければやる気は起きません

CHAPTER F-3

効果バツグン！ 4つの「やる気スイッチ」

「やる気スイッチ」は、脳科学的にしっかり説明できます！
スイッチの数は、ズバリ4つ。
さっそく、その押し方を見ていきましょう。

4つの「やる気スイッチ」

やる気を生み出す側坐核は、自分の意志で動かすことのできない「無意識」の部分にあります。でも、次の4つのスイッチを入れることで、間接的に刺激することができます。

●スイッチB（Body）
体を動かすことで入るスイッチ。脳のなかの「運動野《うんどうや》」が刺激され、側坐核もつられて刺激を受けます。

●スイッチE（Experience）
いつもと違う経験をすることで入るスイッチ。「海馬」を経由して側坐核が刺激され、やる気がアップします。

●スイッチR（Reward）
ごほうびを受け取り、達成感や気持ちよさを感じることで入るスイッチ。「テグメンタ」という部位が刺激されることで、側坐核が動きます。

●スイッチI（Ideomotor）
目標の人になりきると入るスイッチ。「前頭葉《ぜんとうよう》」が活動して、側坐核も動き出します。思い込みが強ければ強いほど効果的です。

どれか1つを押せばOK

4つのスイッチのうちどれか1つを押せば、やる気はだんだん出てきます。ぜひ、今日から試してみてください。

チェックポイント

- ☑側坐核は無意識の部分にあるが、4つのスイッチ（BERI）で刺激することができる。
- ☑4つのスイッチのうち、どれか1つを入れれば、やる気がだんだん出てくる。

スイッチI

なりきることでスイッチが入る「前頭葉」。目標の人の服装をマネしたり、「絶対合格！」と書いた紙を壁に貼ったりするのも、意外と効果的。

スイッチB

体を動かすことでスイッチが入る「運動野」。まずは立ち上がって、机に向かおう。

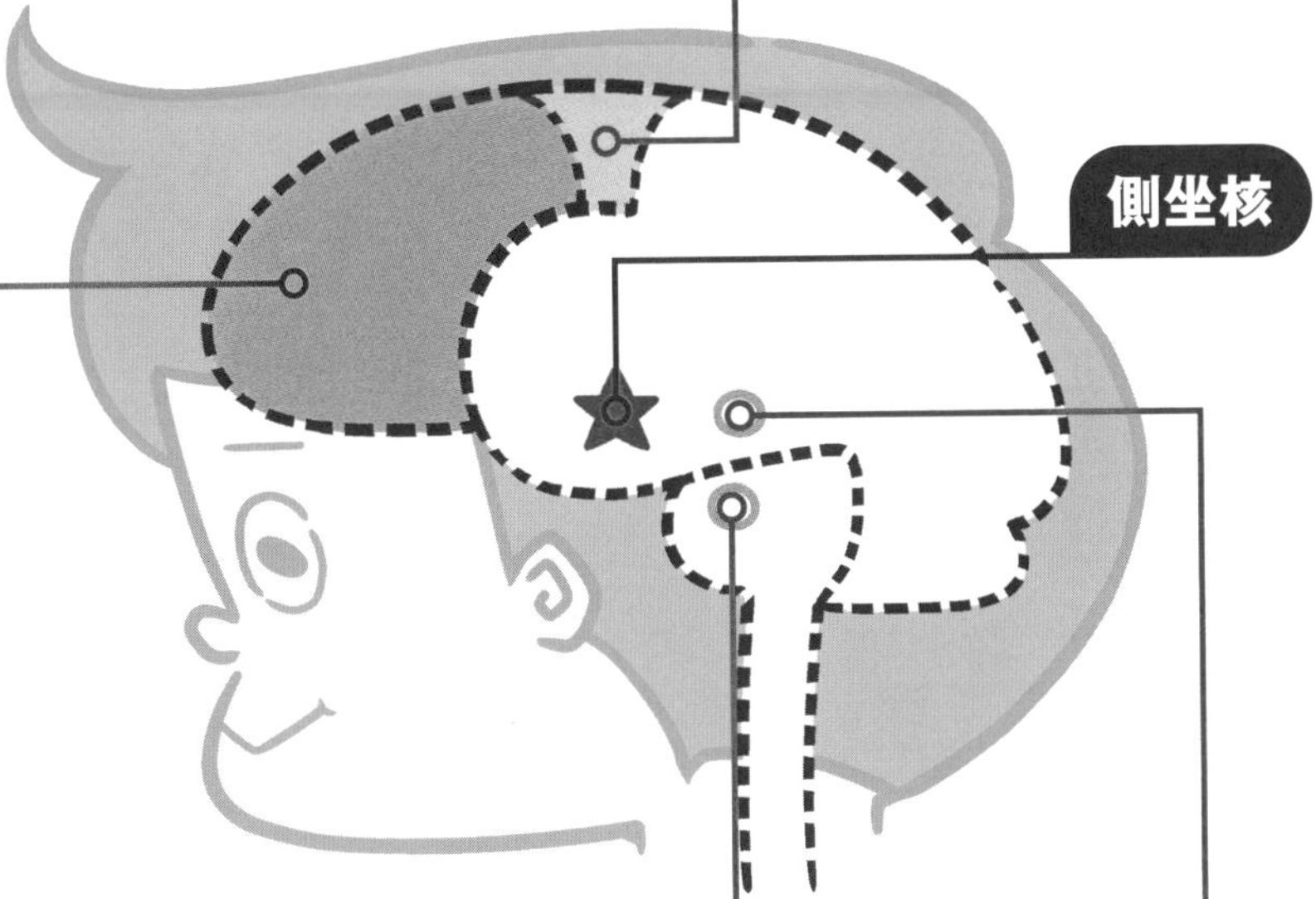
側坐核

スイッチR

ごほうびを与えることでスイッチが入る「テグメンタ」。ごほうびは、「ここまでできたら○○を食べる！」など、ちょっとしたものでOK。

スイッチE

いつもと違う経験をすることでスイッチが入る「海馬」。いつもと場所を変えてみるなど、小さな工夫でスイッチを入れよう。

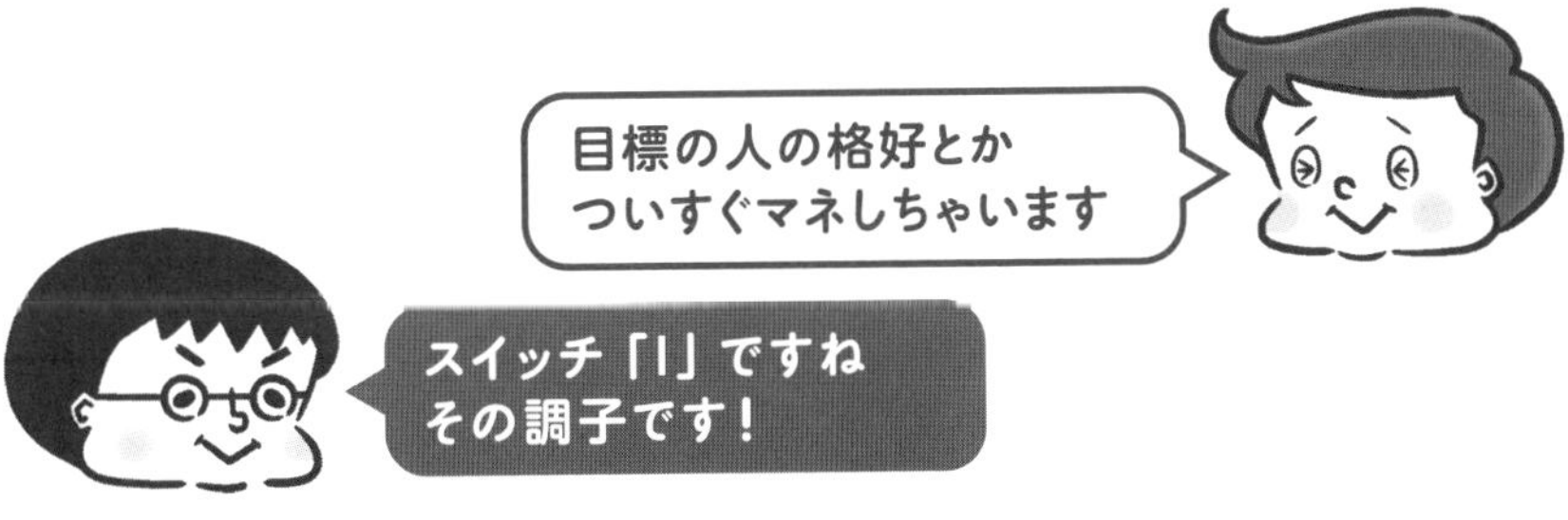
目標の人の格好とか
ついすぐマネしちゃいます
スイッチ「I」ですね
その調子です！

CHAPTER F-4

脳は「三日坊主」になるようにできている

やる気にあふれて勉強がはかどる日もあれば、
なんだかめんどくさい…という日もある。
——そんな気分のムラ、実は脳の性質のせいなのです

飽きてしまうのは当たり前

新しいことを始めるとき、やる気は自然に湧いてきます。ところが数日もすると、飽きて「めんどくさい」と感じるようになるのではないでしょうか。

飽きてしまうのは、脳の性質がそうなっているからです。「三日坊主」は、脳科学的に裏付けられた、自然の理だったのです。

脳には、初めてのことにはワクワクするけれど、そのあとは「当たり前のもの」とする性質があります。これを「馴化《じゅんか》」といいます。

馴化の2つのパターン

ちなみに、馴化には2つのパターンがあります。

1つ目は「楽しいことは、そのうち飽きる」というパターン。そして2つ目は「めんどくさいことは、そのうち慣れる」というパターンです。ランニングなど、最初はめんどくさくても、続けるうちに慣れて、めんどくささを感じなくなるということがありますよね。これも馴化のせいなのです。

2つ目の「馴化」は、飽きてしまう気持ちと上手に付きあっていくのに役立ちます。その方法は、あとで詳しく紹介しましょう。

チェックポイント

- ☑ **やる気が続かず、飽きてしまうのは、脳に「馴化」という性質があるから。**
- ☑ **馴化には、「楽しいことはそのうち飽きる」と「めんどくさいことは、そのうち慣れる」の2パターンがある。**

馴化の2つのパターン

めんどくさいことはそのうち慣れる

はじめはめんどくさいと感じていたことは、毎日続けているうちに慣れていく。慣れていくうちに「やらないと落ち着かない」と感じるようになることもある。

楽しいことは、そのうち飽きる

はじめは楽しくやれていたのに、繰り返しやっているうちに新鮮味がなくなり、飽きてくる。そこでやめてしまうことも多い。

三日坊主はわたしのせいではなく脳の性質だったんですね

そのとおり！
自分を責める必要はありません

CHAPTER F-5

「習慣化」して成果を最大化しよう

勉強の成果を最大化するには、やる気をコントロールして、勉強を「続ける」ことが何よりも大切です。そこで最後に、続けるためのコツを紹介しましょう!

続けるための習慣化

さて、最後にぜひお伝えしたいのが「習慣化」の大切さです。

勉強は、続ければ続けるほど大きな成果につながります。続けることに大きな意味があるわけです。

そこで習慣化です。習慣化には、めんどくささを感じにくくする「馴化」が役に立ちます。

習慣化に役立つ3つの方法

❶ 同じ時間にやる

「○時になったらやる」と決めたら、あれこれ考えずに勉強を始めましょう。始めてしまえば、やる気は自動的に起きます。

❷ 既存の習慣にくっつける

「歯みがきのあと、英字新聞を読む」というように、いまある生活習慣にくっつけると、動き出しやすくなります。

❸ 予定は大まかに立てる

勉強の予定は、毎日こまかく立てるよりも、月ごと・週ごとに大まかに立てるほうが効果的です。大まかな予定を立てたら、「早く帰れる日」「残業がある日」「休日」というふうに、パターンごとの予定も立てておきましょう。

勉強の習慣を続けて、自分の未来を大きく変えていきましょう!

チェックポイント

☑ 勉強を続けるためには、馴化を利用して、勉強を習慣化するのがよい。

☑「同じ時間にやる」「既存の習慣にくっつける」で習慣化しやすくなる。

同じ時間にやる

「さあやるぞ!」と気合いを入れてから勉強を始める人よりも、時間がきたら自動的に始めてしまう人のほうが、成績は1.5倍ほど高いことが分かっている。

既存の習慣にくっつける

「決まった流れ」に組み込むことで、いつのまにか、体が自然に動くようになる。

予定は大まかに立てる

平均的には、計画をこまかく立てる人よりも、おおまかに立てる人のほうが、成績がよい。ただし個人差があるので、自分に合う方法を見つけよう。

なんだか続けられる気がしてきました

コツさえつかめば、だれでも続けられるようになります

CHAPTER F-6

「学んでいて楽しい!」を重視する

あなたが勉強をする理由はなぜですか?
そこに、もっともらしい、立派な理由はいりません。
「好き」「楽しい」気持ちが一番強いんです!

手段動機と内発的動機

みなさんがこの本を読んでいるのは、きっと、なにか勉強しているからでしょう。それではなぜ、勉強をするのでしょうか? それぞれに動機があると思いますが、その動機は大きく2つに分けることができます。

1つは「目標の役職に就くため」「社会貢献のため」などの「手段動機」です。勉強することが、別の目的の手段になっているので、こう呼ばれています。

もう1つは「内発的動機」です。「勉強することが楽しいから勉強している」というのが、これに当たります。

内発的動機でやる気が続く

一見、手段動機をたくさん持っているほうが、志が高く立派に見えます。ところが、さまざまな調査の結果、手段動機が多い人ほどその後の成績が悪く、最終的に成功するのは内発的動機をもった人だということが分かりました。

手段動機の多い人は、「本当は好きではない」という自分の気持ちをごまかそうとしているのかもしれません。一方、内発的動機を持っている人は、強いやる気が長く続き、壁にぶつかったときには乗り越えるための強さにもなります。

みなさんも、楽しみながら勉強を続けていきましょう!

チェックポイント

- **勉強をする理由は「手段動機」と「内発的動機」の2つに分けることができる。**
- **最終的に成功するのは「内発的動機」を持っている人。**

アメリカの陸軍士官学校での調査

①入学時

新入生に志望動機のアンケートを取った。

愛する家族のために戦う！

自分が国を守るんだ…！

手段動機

軍隊の訓練が楽しそう

陸軍の仕事に興味がある！

内発的動機

②10年後、20年後

10年後、20年後に、どういう志望動機を持っていた人が成功したか、追跡調査をした。

訓練楽しかったー！
いまは中尉です!!
国のためにがんばったけど訓練がキツくて中退しました…

結果 **内発的動機をもった人のほうが圧倒的に多く、成功していた**

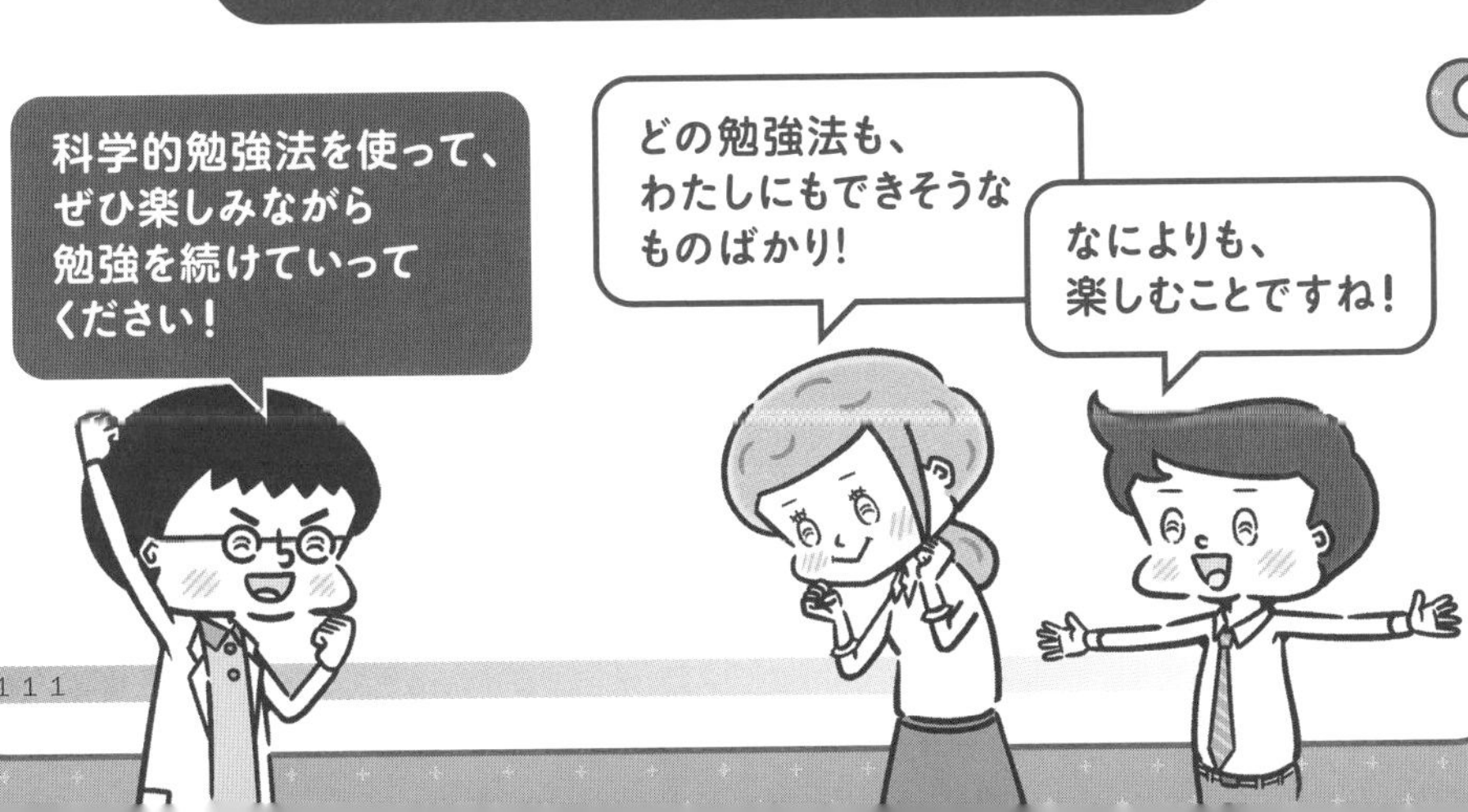
科学的勉強法を使って、ぜひ楽しみながら勉強を続けていってください！
どの勉強法も、わたしにもできそうなものばかり!
なによりも、楽しむことですね！

池谷裕二（いけがや・ゆうじ）

1970年生まれ。東京大学薬学部教授。脳研究者。

1998年、東京大学大学院薬学系研究科にて薬学博士号を取得。専門分野は神経生理学で、脳の健康について探究している。また、2018年よりERATO脳AI融合プロジェクトの代表を務め、AIチップの脳移植による新たな知能の開拓を目指している。『記憶力を強くする』『脳には妙なクセがある』『自分では気づかない、ココロの盲点』など著書多数。

イラスト	オゼキイサム
ブックデザイン	釣巻デザイン室（釣巻敏康・池田彩）
企画	日本図書センター
編集	日本図書センター（小菅由美子）

東大教授《とうだいきょうじゅ》が教《おし》える！
デキる大人《おとな》の
勉強脳《べんきょうのう》の作《つく》り方《かた》

2021年1月25日　初版第1刷発行

監修者	池谷裕二
発行者	高野総太
発行所	株式会社 日本図書センター 〒112-0012 東京都文京区大塚3-8-2 電話 営業部 03-3947-9387 出版部 03-3945-6448 http://www.nihontosho.co.jp
印刷・製本	図書印刷 株式会社

ISBN978-4-284-20478-1 C0030